LES VRILLES DE LA VIGNE

Paru dans Le Livre de Poche :

CLAUDINE À L'ÉCOLE.
CLAUDINE À PARIS.
CLAUDINE S'EN VA.
CHÉRI.
LA CHATTE.
L'INGÉNUE LIBERTINE.
LA VAGABONDE.
GIGI.
LA MAISON DE CLAUDINE.
DUO.
MITSOU.
LE KÉPI.
LE PUR ET L'IMPUR.
LE FANAL BLEU.
L'ENTRAVE.
PRISONS ET PARADIS.
LE VOYAGE ÉGOÏSTE.
BELLA-VISTA.
L'ÉTOILE VESPER.
CHAMBRE D'HÔTEL.

LES CLASSIQUES D'AUJOURD'HUI

COLETTE

Les Vrilles de la vigne

*Présentation et notes
d'Anne Chareille*

LE LIVRE DE POCHE

Colette en mars 1910.

PRÉSENTATION

> *« Il faudrait bien que toute ma vie changeât de goût,
> comme change le bouquet de vin selon le versant
> qui porte le cep. »*

Les Vrilles de la vigne (1908) forment une mosaïque de
textes courts — instants de vie, esquisses, portraits, contes
et nouvelles à travers lesquels une femme encore jeune
mais déjà sensible à la fuite du temps, s'efforce de rassem-
bler ses souvenirs et de restaurer l'unité de sa vie. C'est
aussi le premier livre signé par Colette de son seul nom.
Jusqu'alors, son activité littéraire, de *Claudine à l'école*
(1900) à *La Retraite sentimentale* (1907) avait été dominée
par son mari et impresario, Willy. Cette période d'« apprentissages » — le mot est d'elle —, de soumission et de rela-
tive obscurité prend fin avec *Les Vrilles de la vigne* sous
l'effet d'une double épreuve, la mort de son père (1905) et
la fin de sa première expérience conjugale. Willy et Colette
se sont en effet séparés en novembre 1906, à l'initiative de
Willy — d'un Willy presque quinquagénaire mais toujours
impénitent, qui vient de céder à une nouvelle conquête,
Meg Villars, de douze ans plus jeune que Colette.

Si le premier événement n'est pas directement évoqué
dans le recueil, le second en revanche, qui heurte son « penchant monogame » mais lui épargne l'enlisement dans une
situation de vaudeville, la rend à elle-même. C'est dans
cette liberté retrouvée qu'elle va puiser la force d'affirmer
son génie propre.

Les Vrilles de la vigne, « cette plainte, dit-elle, qui m'a révélé ma voix », vaut assurément par le pittoresque d'une autobiographie parfois haute en couleur. L'allégorie du rossignol prisonnier des sarments qui l'enserrent et qui étouffent sa voix est la transposition poétique de sa propre aventure. Mais surtout ce poème en prose est l'acte de naissance d'un grand écrivain.

L'affirmation de son identité littéraire a pour première étape la conquête de sa liberté affective. La vie nouvelle de Colette se déroulera sur les scènes de music-hall comme à la ville, où elle rencontre Missy. L'initiale « pour M... », en tête de « Nuit blanche », « Jour gris », « Le dernier feu », désigne la marquise Mathilde de Morny, sa « tendre amie » ; elle partagera sa vie quelques années. Cette époque est aussi celle de la danse, de la pantomime et de l'exaltation du corps évoquée dans « Chanson de la danseuse ». En 1908, au moment où sont éditées *Les Vrilles de la vigne*, elle évolue dans un milieu très libre, tolérant, où elle peut se produire au théâtre et afficher sans crainte ses amours singulières.

Faut-il s'en étonner ? La jeune sauvageonne de Saint-Sauveur-en-Puisaye (« vous n'imaginez pas quelle reine de la terre j'étais à douze ans ») est-elle d'ailleurs si loin du jeune faune dont elle tenait le rôle dans un mimodrame de Francis de Croisset et qui éblouissait les plus célèbres « amazones » de la Belle Époque ? Une même ardeur les anime, un même goût de la vie et de la nature, qui ne se laissera jamais guider que par « la flamme sourde du bonheur ».

> « *Quand la torpeur d'une nouvelle nuit de miel a pesé sur mes paupières, j'ai craint les vrilles de la vigne et j'ai jeté tout haut une plainte qui m'a révélé ma voix.* »

Nombreux seront par la suite les recueils composés d'articles assemblés sans ordre apparent. En réalité, dès 1908, se dessinent les thèmes majeurs des livres à venir : les enchantements et les descriptions de l'amour, le miracle de l'enfance et la hantise de l'âge, les beautés de la terre et le rythme des saisons, toute cette sagesse charnelle qui est peut-être le romantisme de Colette.

Les pièces du recueil ne sont pas agencées selon l'ordre de leur composition. Nous retrouvons, groupés en trois ensembles, dans l'édition Ferenczi de 1934, les principaux thèmes de l'inspiration de Colette.

Un premier ensemble est tout entier tendu entre la description attentive de l'instant présent et l'évocation nostalgique du passé. Le passé de Colette est avant tout celui de son enfance et le paradis perdu de Saint-Sauveur-en-Puisaye. Le bonheur enfantin et innocent est insistant, évoqué avec précision. À Saint-Sauveur, au côté d'une mère athée, Colette est à l'école de la Nature. Nul désir de provocation dans son paganisme épanoui et fervent, presque virgilien. L'univers païen et les bonheurs de l'enfance sont longuement décrits dans « Rêverie de Nouvel An » ou dans « Les vrilles de la vigne ».

Le thème proustien de la mémoire involontaire — il s'agit en l'occurrence de réminiscences olfactives —, est une composante essentielle de la personnalité littéraire et affective de Colette. Il apparaît dès *Claudine à Paris* : « L'odeur des fleurs vivantes, leur toucher frais ont tiré d'un coup brusque le rideau d'oubli que ma fièvre avait tendu devant le Montigny quitté... » et se retrouve dans les *Vrilles*. Ainsi, dans « Le dernier feu » : « Porte plutôt à tes narines le parfum invariable de ces violettes changeantes et regarde, en respirant le filtre qui abolit les années, regarde comme moi ressusciter et grandir devant toi le printemps de ton enfance. » Les senteurs, les odeurs de la nature redonnent apparemment accès au paradis perdu. Quelque vingt années plus tard cependant, Colette rejoindra Saint-Sauveur, guidée par le souvenir de sa mère, la sage Sido.

En regard, si naissent de nouvelles amours, promesses de plaisirs et désarroi secret dans « Jour gris » et « Le dernier feu », ou occasions d'une provocante confidence dans « Nuit blanche », le présent reste solitude et nostalgie dans « Rêverie de Nouvel An ».

Le deuxième ensemble s'organise autour de Toby-Chien et Kiki-la-Doucette. Colette puisera dans la compagnie de ses animaux favoris une inspiration sans cesse renouvelée. Se servirait-elle d'animaux « pour instruire les hommes », comme le fit La Fontaine ? Il semble qu'elle posa avant tout sur ses bêtes un regard admiratif, tendre, plein de *sympathie* et que chiens et chats soient l'occasion d'un retour sur soi, amusé et douloureux. « À fréquenter le chat, on ne risque que de s'enrichir. Serait-ce par calcul que depuis plus d'un demi-siècle, je recherche sa compagnie ? » Et plus bas, « Loin de moi de vous oublier, chiens chaleureux, meurtris de peu, pansés de rien. Comment me passerais-je de vous ? Je vous suis si nécessaire... ». La chatte héroïne de « Nonoche » est, comme toutes les autres, un reflet, un miroir de Colette qui se plaît à peindre à travers l'animal toutes les tentations et tous les méandres du sentiment amoureux ou maternel. Toby sera alors l'emblème de la maladresse, de l'égoïsme amoureux de l'homme, dont il se fait le porte-parole et le représentant tendrement pitoyable. Mais ici, les animaux parlent aussi des hommes, et lorsque Kiki-la-Doucette dans « Dialogue de bêtes », parle d'« Elle », elle sait toutes les subtilités d'un cœur féminin.

Enfin, aux portraits d'animaux succèdent des portraits de femmes. « Belles-de-jour », « De quoi est-ce qu'on a l'air ? », « La guérison », autant de réflexions sur l'amour. *Les Vrilles de la vigne* constituent une étape importante dans la recherche et la découverte de soi. Si le rossignol et Nonoche peuvent être de discrètes figures de l'auteur, les derniers textes du recueil mettent Colette plus précisément en scène. Qui est cette madame Loquette, la « Dame qui chante », si ce n'est Colette elle-même qui n'a que fort peu travesti son propre nom ?

Promenant sur ce qui l'entoure un regard amusé, Colette décrit avec humour, précision et parfois cruauté, son « amie Valentine », prenant ainsi ses distances avec ce nouvel avatar d'elle-même. Son image est de cette façon émiettée, mais partout présente dans l'ensemble du texte. Willy, en signant les *Claudine*, a dérobé à Colette son identité. À l'heure où elle compose les *Vrilles*, elle se sépare définitivement de Claudine. Dans « Le miroir », elle s'adresse à son personnage en ces termes : « N'avez-vous point assez de ce malentendu qui nous accole l'une à l'autre, qui nous reflète l'une dans l'autre, qui nous masque l'une par l'autre ? [...] Nos

visages, jumeaux, ont joué à cache-cache assez longtemps. »
Ainsi tente-t-elle de reconquérir une identité et de prendre
définitivement ses distances avec le passé. « Le miroir » sera
finalement retranché de la dernière édition des *Vrilles*, mais
au fil des œuvres Colette poursuivra sa quête. Renée Nérée,
narratrice et héroïne de *La Vagabonde*, cherche également à
fuir son passé, à se débarrasser de « *sa peau morte* », pour
retrouver au bout du voyage son apaisante vocation d'écrivain. Voyage jamais achevé, la dédicace de *La Naissance du
jour* en témoigne : « Imaginez-vous, à me lire, que je fais
mon portrait ? Patience, c'est seulement mon modèle ».
Pourtant c'est au même moment, avec ce texte, alors que
Sido est morte, que pour Colette sa mère devient l'ultime
idéal du moi, peut-être l'aboutissement de sa recherche...

Enfin, dans cette dernière partie du texte, l'univers du
music-hall et de la pantomime est largement évoqué. « Music-halls » et « La dame qui chante » content le quotidien
de Colette, artiste mime et femme célibataire.

Les *Vrilles* annoncent déjà l'œuvre à venir. Elles sont le
premier modèle stylistique d'une série constituée par *Le
Journal à rebours*, *L'Étoile Vesper*, ou *Le Fanal bleu*. Lorsque Colette publie les *Vrilles*, elle renonce momentanément
au roman, et écrit au critique belge Lucien Solvay : « Je
vais vous envoyer mon dernier-né fait de pièces et de morceaux, dont quelques-uns trouveront grâce à vos yeux, je
l'espère ». Au sein des ensembles adroitement orchestrés,
chaque morceau a l'allure d'un poème en prose, paysage ou
portrait, petite unité qui vaut par elle-même mais demeure
toutefois très fortement liée aux autres pièces du recueil.

Dès le premier texte des *Vrilles de la vigne*, le ton est
donné. « Vrilles », « treilles », et « trilles » s'enlacent aux
« vignes » et les sons participent de cet envoûtement. Ils
« enguirlandent » le lecteur, tout autant que le rossignol-
écrivain. Au fil des textes, les mots, par ce qu'ils évoquent
mais aussi en fonction de leur musique particulière, pri-
ment, et finalement s'imposent. C'est ce qui justifie, s'il en
était besoin, le florilège des fleurs, des arbres et des
oiseaux. Évoquer la baie de la Somme, c'est aussi nommer
le « pluvier à collier », le « chevalier combattant », « bécas-
seaux » et « bécassines ». La liste est chez Colette l'expres-

sion d'un bonheur, du plaisir de contempler, et de dire la variété du monde ; elle est une forme d'hommage. Chaque plante, chaque animal vaut pour lui-même ; il vaut aussi par ce qui le distingue de son plus proche parent.

La diversité, si évidente à qui regarde le monde avec une telle acuité et une telle tendresse, se retrouve dans le jeu des registres de la langue. Il fallait pour décrire le monde une expression riche, diverse, assortie de la plus grande justesse. Dans cette perspective, le « verbe » est ancien, suranné, et l'on rencontre au hasard « durant que », « laideronnes », et « trottin ». Tout se passe comme si la langue, à l'image de Colette elle-même, se penchait sur le passé. Colette parle comme parlait Sido. Mais le lexique des *Vrilles de la vigne* est également précis, technique lorsqu'il est question de théâtre ou de botanique. Colette ne renonce pas, par ailleurs, à plier à son désir les mots de sa langue maternelle. Elle compose, invente, innove, s'appuyant sur les figures de la rhétorique dont le texte est abondamment nourri. Retenons le « velours roux », « le ventre en figue » des chauves-souris, le chien « crapeau à cœur de veau », et ce lit merveilleux : « Il est chaste, tout blanc, tout nu ; aucune draperie ne voile, en plein jour, son honnête candeur ». Mais chacun semble-t-il, peut trouver au fil des pages matière à nourrir un goût sensuel pour les mots, voire son amour des bêtes et des gens.

Toutefois, par-delà l'aspect fragmentaire et hétéroclite, ce qui nous reste de ces textes, c'est une qualité particulière du lyrisme, un regard sur les autres et sur soi, aigü et respectueux.

Dans *Les Vrilles de la vigne*, les souvenirs d'enfance, tenaces, se bousculent. Ils disputent aux paysages, aux gens et aux bêtes du présent, la première place dans la mémoire et sous la plume de l'écrivain. Les fragments se suivent alors comme une succession de plaisirs, plaisirs polymorphes de Colette, aussi attentive aux perceptions présentes qu'aux méandres du passé.

Anne CHAREILLE.

ÉTABLISSEMENT DU RECUEIL

Entre mai 1905 et les derniers mois de l'année 1908, paraissent dans *La Vie parisienne* ou le *Mercure musical* une série de nouvelles et de contes qui seront finalement édités sous forme de recueil en 1908. L'édition originale des *Vrilles de la vigne* comptera dix-huit textes. 1923, 1930, 1934, et 1950 seront autant de dates de réédition, autant d'occasions de reprises, d'ajouts et de corrections.
Le texte que nous reproduisons est celui de l'édition de 1934. Le tableau suivant détaille lieu et date d'édition des différents textes. Il en propose également une classification par thème.

	Date de composition, première publication	Thème principal	Édition de 1908	Édition Ferenczi, 1934	Édition des Œuvres Complètes, 1950
« Les vrilles de la vigne »	1er juin 1905, dans le *Mercure musical*.	Souvenirs de « l'autre versant ».	Le texte ouvre l'édition de 1908.	X	X
« Rêverie de Nouvel An »	16 janvier 1909, dans *La Vie parisienne*.	Souvenirs de « l'autre versant ».		Première parution dans *Les Vrilles*.	X
« Chanson de la danseuse »	15 avril 1909, dans *Fantasio*.	Souvenirs de « l'autre versant ».		Première parution dans *Les Vrilles*.	X
« Nuit blanche »	27 juin 1907, dans *La Vie parisienne*.	Souvenirs de « l'autre versant ».	Dédicacé à Missy : « Pour M... »	X	X
« Jour gris »	28 septembre 1907, dans *La Vie parisienne*.	Souvenirs de « l'autre versant ».	Dédicacé à Missy : « Pour M... »	X	X

			Dédicacé à Missy : « Pour M... »		
« dernier feu »	23 mai 1908, dans *La Vie parisienne*.	Souvenirs de « l'autre versant ».		X	X
« Amours »		Le jardin des bêtes		Le texte est inédit jusqu'en 1934.	X
« Un rêve »	2 décembre 1933, dans *Le Jardin des bêtes*.	Le jardin des bêtes		Première parution dans *Les Vrilles*	X
« Nonoche »		Le jardin des bêtes	Première parution dans l'édition originale des *Vrilles*.	X	X
« Toby-Chien parle »	27 avril 1907, dans *La Vie parisienne*.	Le jardin des bêtes	Première parution dans l'édition originale des *Vrilles*. Il y est dédicacé à « *Miss Meg V.* »	X	
« Dialogue de bêtes »	6 juillet 1907, dans *La Vie parisienne*, sous le titre « Toby-Chien au théâtre ».	Le jardin des bêtes	Première parution dans l'édition originale des *Vrilles*. Il y est dédicacé à Sacha Guitry.	X	

				Première parution dans *Les Vrilles*	
« Maquillages »	8 avril 1933, dans *Le Miroir du monde.*	Portraits de femmes			X
« Belles-de-jour »	17 août 1907, dans *La Vie parisienne.*	Portraits de femmes	Dans l'édition originale, le texte est dédicacé à Charles Saglio.	X	X
« De quoi est-ce qu'on a l'air ? »	25 janvier 1908, dans *La Vie parisienne.*	Portraits de femmes	X	X	X
« La guérison »	20 juin 1908, dans *La Vie parisienne.*	Portraits de femmes	Dans l'édition originale, le texte est dédicacé à Henry Bataille.	X	X
« Le miroir »	15 février 1908, dans *La Vie parisienne.*	Souvenirs de « l'autre versant ».	X	X	
« La dame qui chante »		Portraits de femmes	Première parution dans l'édition originale des *Vrilles.*		X

« En baie de Somme »	5 octobre 1907, dans *La Vie parisienne*, sous le titre : « En marge d'une plage blanche I » ; puis 5 septembre 1908, dans le même journal, sous le titre : « En marge d'une plage blanche II ».	Souvenirs de « l'autre versant ».	X sous le titre : « En marge d'une plage blanche I et II »	Le texte est intitulé : « En baie de Somme. »	X
« Partie de pêche »	14 septembre 1907, dans *La Vie parisienne*.	Souvenirs de « l'autre versant ».		X	X
« Music-halls »	4 janvier 1908, dans *La Vie parisienne*.	Souvenirs de « l'autre versant ».	X	X	X
« Toby-Chien et la musique »	1905, dans le *Mercure musical*.	Souvenirs de « l'autre versant ».	X		
« Printemps de la Riviera »	21 mars 1908, dans *La Vie parisienne*.	Souvenirs de « l'autre versant ».	X Le texte disparaît dans la réédition de 1923.		

REPÈRES CHRONOLOGIQUES

	Biographie de Colette	Événements politiques, littéraires et historiques
1873	28 janvier : naissance à Saint-Sauveur-en-Puisaye de Sidonie Gabrielle Colette.	Mallarmé : *L'Après-Midi d'un faune*. Mort de George Sand.
1879	Premier et bref séjour de Colette à Paris.	Zola : *Nana*.
1880		Naissance de Guillaume Apollinaire. Maupassant : *Boule-de-suif*. Émile Zola : *Le Roman expérimental*. Mort de Gustave Flaubert. Lois Jules Ferry sur l'enseignement primaire obligatoire.
1884		Huysmans : *À Rebours*.
1885		Zola : *Germinal*. Mort de Victor Hugo.
1889	Sidonie Gabrielle Colette obtient le brevet élémentaire et le certificat d'études primaires supérieures. Elle cesse ses études. Voyage de Colette à Paris	Naissance de Jean Cocteau. Mort de Jules Barbey d'Aurevilly. Ouverture à Paris de l'Exposition universelle. La tour Eiffel est achevée.

	où elle aurait fait la connaissance de Willy (Henry Gauthier-Villars).	
1891	Séjour de Colette à Paris, elle est présentée à la famille Gauthier-Villars.	Mort d'Arthur Rimbaud.
1893	Willy se consacre au journalisme et publie entre autres *Bains de sons*.	Mort de Guy de Maupassant.
	Mariage de Willy et Colette à Chatillon-sur-Loing. Le couple s'installe à Paris, Colette fréquentera les salons littéraires, et rencontrera Anatole France, Proust, Clemenceau, Jaurès...	
1894	Sérieuse maladie de Colette, convalescence à Belle-Île.	Assassinat du président de la République Sadi-Carnot.
	Sur les conseils de son mari, Colette aurait ébauché cette année et la suivante *Claudine à l'école*.	Arrestation du capitaine Dreyfus, puis déportation à perpétuité en Guyane.
		Les frères Lumière mettent au point un appareil cinématographique.
		Peugeot fait circuler une voiture automatique sur pneumatiques.
1896	Willy publie romans et articles critiques. Colette rencontre Paul Valéry.	Mort de Paul Verlaine.
1898		Lettre de Zola : *J'accuse*. Mort de Stéphane Mallarmé.
1899		Nouvelle condamnation de Dreyfus à Rennes.
1900	Mise en vente de *Claudine à l'école*, signé du seul nom de Willy.	Naissance de Saint-Exupéry. Bergson : *Le Rire*.

	Mise en service de la ligne n° 1 du métropolitain.
1901	*Claudine à Paris*, sous la signature de Willy.	Naissance d'André Malraux.
1902	*Claudine en ménage*, sous la signature de Willy. Aux Bouffes Parisiens, première de *Claudine à Paris*, comédie en trois actes.	André Gide : *L'Immoraliste*. Mort d'Émile Zola.
1903	*Claudine s'en va*, sous la signature de Willy. *Claudine au concert*, en « collaboration » avec Willy.	Première réunion de l'Académie Goncourt.
1904	Willy publie, entre autres, *Danseuses*. Willy et Colette se séparent. *Dialogue de bêtes*, sous la signature de Colette Willy. Colette gardera cette signature jusqu'en 1923.	Le jugement du conseil de guerre de Rennes est cassé. Dreyfus est réhabilité.
1905	Premières leçons de mime avec Georges Wague. Mort du capitaine Colette (septembre).	
1907	Mise en vente par le *Mercure de France* de *La Retraite sentimentale*, signée Colette Willy. Une séparation de biens est prononcée entre les époux Gauthier-Villars.	
1908	Colette fait paraître *Les Vrilles de la vigne*, sous la signature Colette Willy.	
1909	*L'Ingénue libertine*, sous la signature Colette Willy.	
1910	*La Vagabonde* paraît en feuilleton dans *La Vie parisienne*.	

1912	Mort de Sido (mère de Colette). Mariage à Paris de Colette et Henry Jouvenel, rédacteur en chef du *Matin*.	Louis Pergaud : *La Guerre des boutons*.
1913	Naissance à Paris de Colette-Renée Jouvenel, dite Bel-Gazou, fille de Colette.	
1914		Assassinat, à Sarajevo, de l'archiduc François-Ferdinand. Début de la Première Guerre mondiale.
1918		Mort de Guillaume Apollinaire, et d'Edmond Rostand.
1919	Mise en vente de : *Mitsou ou comment l'esprit vient aux filles*. Colette est directrice littéraire du *Matin*.	Proust : *À l'ombre des jeunes filles en fleurs*, prix Goncourt. André Gide : *La Symphonie pastorale*.
1920	*Chéri* est publié en feuilleton.	
1922		Mort à Paris de Marcel Proust.
1923	Séparation de Colette et Henry Jouvenel. *Le Blé en herbe, Rêverie de Nouvel An* sont publiés sous le nom de Colette.	
1924	Fin de la collaboration de Colette au *Matin*, mais elle écrira dans d'autres journaux.	Victoire de la gauche, Briand est ministre des Affaires Étrangères jusqu'en 1932. Publication du *Manifeste du surréalisme*. Paul Claudel : *Le Soulier de satin*.

1925	Début de la liaison de Colette avec Maurice Goudeket, de seize ans son cadet.	André Gide : *les Faux Monnayeurs*.
1926	Publication de *La Fin de Chéri*.	
1927		François Mauriac : *Thérèse Desqueyroux*.
1928	Colette est promue Officier de la Légion d'honneur. *La Naissance du jour*.	Pacte Briand-Kellogg : solennelle renonciation à la guerre.
1929	*La Seconde*.	Rapprochement franco-allemand gravement compromis par la crise internationale.
1930	Publication de *Sido*, texte qui a pour personnage central la mère de Colette.	
1931		Saint-Exupéry : *Vol de nuit*.
1932	*Prisons et Paradis*.	Céline : *Voyage au bout de la nuit*.
1933	*La Chatte*.	L'Allemagne se retire de la SDN. André Malraux : *La Condition humaine*.
1934	*Duo*.	
1935	Colette se remarie avec Maurice Goudeket ; par la suite elle s'installera au cœur de Paris. Dans *Mes apprentissages*, Colette y règle ses comptes avec Willy, mort depuis quatre ans.	Naissance du Front populaire.
1936	Parution du premier texte intitulé *Chats*. Colette est Commandeur de la Légion d'honneur. *Discours de réception à l'Académie Royale de lan-*	Le gouvernement Blum entreprend d'importantes réformes sociales et économiques.

	gue et littérature françaises de Belgique.	
1938		Signature des accords de Munich, sous l'impulsion anglaise. J.-P. Sartre : *La Nausée*.
1939	Colette commence à souffrir d'arthrose.	La France déclare la guerre à l'Allemagne.
1940		Pétain accède au pouvoir ; mise en place du régime de Vichy.
1941	*Julie de Carneilhan.* Maurice Goudeket est arrêté par les Allemands.	
1942	Maurice est libéré. Colette fait paraître : *Paris de ma fenêtre*.	Albert Camus : *L'Étranger*.
1943	*Gigi.*	
1944		Août : Libération de Paris. Sartre : *Huis-Clos*. Mort de Saint-Exupéry et de Giraudoux.
1945	Colette est élue à l'unanimité à l'Académie Goncourt au fauteuil de Sacha Guitry. Elle est la première femme à y entrer.	Capitulation allemande à Berlin. Mort de Paul Valéry.
1946		Mise en place de la IVe République.
1947		Albert Camus : *La Peste*.
1948	Début de la publication des *Œuvres complètes*.	
1949	Cette même année Colette publie *Le Fanal bleu*, *Chats*. *En pays connu*, *Autres bêtes* sont des recueils de textes anciens.	La France adhère à l'Alliance atlantique.
1950	À partir de cette date et jusqu'en 1954, Colette ver-	Guerre du Viêt-Nam

	ra avec satisfaction s'achever la publication de ses *Œuvres complètes*.	
1951		Julien Gracq : *Le Rivage des Syrtes*. Mort d'Alain et d'André Gide.
1953	Colette reçoit les insignes de Grand Officier de la Légion d'honneur.	
1954	3 août, mort de Colette dans son appartement parisien, face au jardin du Palais-Royal. Obsèques officielles civiles.	Guerre d'Algérie.

BIBLIOGRAPHIE

REBOUX Paul, *Colette ou le génie du style*, Rasmussen, 1925.

GOUDEKET Maurice, *Près de Colette*, éd. Flammarion, 1956.

La Douceur de vieillir, éd. Flammarion, 1965.

MAULNIER Thierry, *Introduction à Colette*, éd. La Palme, 1954.

HOLLANDER Paul, *Colette à l'heure de Willy*, Presses de l'Université de Montréal et Klincksieck, 1988.

PICHOIS Claude et Vincenette, *Album Colette*, éd. Gallimard, coll. La Pléiade, 1984.

D'autre part, on consultera avec grand profit les préfaces et notes dans les *Œuvres complètes*, Gallimard, La Pléiade, éditées en quatre volumes à compter de 1984 sous la direction de Claude Pichois.

FILMOGRAPHIE

Dans la série « Un siècle d'écrivains », dirigée par Bernard Rapp, n° 001/260, portrait de Colette par Jacques Tréfouel et Gérard Bonal, coproduction I.N.A.-*France 3*.

LES VRILLES DE LA VIGNES

LES VRILLES DE LA VIGNE [1]

Autrefois, le rossignol ne chantait pas la nuit. Il avait un gentil filet de voix et s'en servait avec adresse du matin au soir, le printemps venu. Il se levait avec les camarades, dans l'aube grise et bleue, et leur éveil effarouché secouait les hannetons endormis à l'envers des feuilles de lilas.

Il se couchait sur le coup de sept heures, sept heures et demie, n'importe où, souvent dans les vignes en fleur qui sentent le réséda, et ne faisait qu'un somme jusqu'au lendemain.

Une nuit de printemps, le rossignol dormait debout sur un jeune sarment, le jabot en boule et la tête inclinée, comme avec un gracieux torticolis. Pendant son sommeil, les cornes de la vigne, ces vrilles cassantes et tenaces, dont l'acidité d'oseille fraîche irrite et désaltère, les vrilles de la vigne poussèrent si dru, cette nuit-là, que le rossignol s'éveilla ligoté, les pattes empêtrées de liens fourchus, les ailes impuissantes...

Il crut mourir, se débattit, ne s'évada qu'au prix de mille peines, et de tout le printemps se jura de ne plus dormir, tant que les vrilles de la vigne pousseraient.

Dès la nuit suivante, il chanta, pour se tenir éveillé :

---

1. Le conte paraît le 1er juin 1905, dans le *Mercure musical*. Le manuscrit débute ainsi : « Je vais te dire un conte. Ce sera un vrai conte de Noël, tu sais, un conte réconfortant, où il n'y a pas de neige, pas d'Enfant Dieu... » À propos du *paganisme* de Colette, voir la note 2 du conte « Rêverie du Nouvel An ».

> Tant que la vigne pousse, pousse, pousse...
> Je ne dormirai plus !
> Tant que la vigne pousse, pousse, pousse...

Il varia son thème, l'enguirlanda[1] de vocalises, s'éprit de sa voix, devint ce chanteur éperdu, enivré et haletant, qu'on écoute avec le désir insupportable de le voir chanter.

J'ai vu chanter un rossignol sous la lune, un rossignol libre et qui ne se savait pas épié. Il s'interrompt parfois, le col[2] penché, comme pour écouter en lui le prolongement d'une note éteinte... Puis il reprend de toute sa force, gonflé, la gorge renversée, avec un air d'amoureux désespoir. Il chante pour chanter, il chante de si belles choses qu'il ne sait plus ce qu'elles veulent dire. Mais moi, j'entends encore à travers les notes d'or, les sons de flûte grave, les trilles[3] tremblés et cristallins, les cris purs et vigoureux, j'entends encore le premier chant naïf et effrayé du rossignol pris aux vrilles de la vigne :

> Tant que la vigne pousse, pousse, pousse...

Cassantes, tenaces, les vrilles d'une vigne amère m'avaient liée, tandis que dans mon printemps je dormais d'un somme heureux[4] et sans défiance. Mais j'ai rompu, d'un sursaut effrayé, tous ces fils tors qui déjà tenaient à ma chair, et j'ai fui... Quand la torpeur d'une nouvelle nuit de miel a pesé sur mes paupières, j'ai craint les vrilles de la vigne et j'ai jeté tout haut une plainte qui m'a révélé ma voix.

Toute seule, éveillée dans la nuit, je regarde à présent monter devant moi l'astre voluptueux et morose... Pour me défendre de retomber dans l'heureux sommeil, dans le printemps menteur où fleurit la vigne crochue, j'écoute le son de ma voix. Parfois, je crie fiévreusement ce qu'on a coutume de taire, ce qui se chuchote très bas, — puis ma voix languit jusqu'au murmure parce que je n'ose poursuivre...

---

1. Enveloppa, comme on entoure de guirlandes. — 2. Archaïsme, cou. — 3. Terme de musique, le trille est le passage alternatif et rapide d'une note à la note voisine ; c'est l'un des effets les plus difficiles de l'art du chant. — 4. Pris dans une expression lexicalisée « dormir d'un somme », le mot somme est un emploi plus rare pour sommeil. On retrouve dans la suite du texte plusieurs variations sur ce modèle : « l'heureux sommeil », « somme heureux ».

Je voudrais dire, dire, dire tout ce que je sais, tout ce que je pense, tout ce que je devine, tout ce qui m'enchante et me blesse et m'étonne ; mais il y a toujours, vers l'aube de cette nuit sonore, une sage main fraîche qui se pose sur ma bouche, et mon cri, qui s'exaltait, redescend au verbiage[1] modéré, à la volubilité de l'enfant qui parle haut pour se rassurer et s'étourdir...

Je ne connais plus le somme heureux, mais je ne crains plus les vrilles de la vigne.

RÊVERIE DE NOUVEL AN[2]

Toutes trois nous rentrons poudrées, moi, la petite bull et la bergère flamande[3]... Il a neigé dans les plis de nos robes, j'ai des épaulettes blanches, un sucre impalpable fond au creux du mufle camard[4] de Poucette, et la bergère flamande scintille toute, de son museau pointu à sa queue en massue.

Nous étions sorties pour contempler la neige, la vraie neige et le vrai froid, raretés parisiennes, occasions, presque introuvables, de fin d'année... Dans mon quartier désert, nous avons couru comme trois folles, et les fortifications

---

1. Abondance de paroles et d'idées. — 2. Le conte paraît le 16 janvier 1909 dans *La Vie parisienne*. Dans le monde païen de Colette, le Nouvel An est, plus que Noël, la véritable fête. Elle écrit dans « Noël ancien » *(En pays connu)* : « Dans mon pays natal, Noël ne comptait pas quand j'étais enfant. Mon pays libre-penseur supprimait dans la mesure de son possible, une fête dix-neuf fois centenaire qui est celle de tous les enfants. Ma mère, ma très chère "Sido" athée, n'allait pas à la messe de minuit... » De même dans les *Contes des mille et un matins* : « Je suis l'enfant d'un pays très "mal pensant" [...] Non, je n'ai pas connu les souliers de Noël. » Par ailleurs, la rêverie désigne jusqu'au XVIIᵉ siècle le « délire », la « fureur », et comporte souvent une nuance péjorative. C'est avec Rousseau (seconde moitié du XVIIIᵉ siècle) que ce mot prend définitivement sa résonance actuelle « image ou pensée produite par une activité psychique non soumise à l'attention » qui n'est plus péjorative. — 3. Les deux chiennes entourent Colette en 1909. Poucette est un petit bull-terrier ; Colette possède également une chienne de berger. — 4. Synonyme de camus ; qui a le nez plat et écrasé.

hospitalières, les fortifs [1] décriées ont vu, de l'avenue des Ternes au boulevard Malesherbes, notre joie haletante de chiens lâchés. Du haut du talus, nous nous sommes penchées sur le fossé que comblait un crépuscule violâtre fouetté de tourbillons blancs ; nous avons contemplé Levallois [2] noir piqué de feux roses, derrière un voile chenillé [3] de mille et mille mouches blanches, vivantes, froides comme des fleurs effeuillées, fondantes sur les lèvres, sur les yeux, retenues un moment aux cils, au duvet des joues... Nous avons gratté de nos dix pattes une neige intacte, friable, qui fuyait sous notre poids avec un crissement caressant de taffetas [4]. Loin de tous les yeux, nous avons galopé, aboyé, happé la neige au vol, goûté sa suavité de sorbet vanillé et poussiéreux...

Assises maintenant devant la grille ardente [5], nous nous taisons toutes trois. Le souvenir de la nuit, de la neige, du vent déchaîné derrière la porte, fond dans nos veines lentement et nous allons glisser à ce soudain sommeil qui récompense les marches longues...

La bergère flamande, qui fume comme un bain de pieds, a retrouvé sa dignité de louve apprivoisée, son sérieux faux et courtois. D'une oreille, elle écoute le chuchotement de la neige au long des volets clos, de l'autre elle guette le tintement des cuillères dans l'office [6]. Son nez effilé palpite, et ses yeux couleur de cuivre, ouverts droit sur le feu, bougent incessamment, de droite à gauche, de gauche à droite, comme si elle lisait... J'étudie, un peu défiante, cette nouvelle venue, cette chienne féminine et compliquée qui garde bien, rit rarement, se conduit en personne de sens et reçoit les ordres, les réprimandes sans mot dire, avec un regard impénétrable et plein d'arrière-pensées... Elle sait mentir,

---

1. Fortifications édifiées par Thiers, qui marquent à partir de 1860 la limite officielle de la capitale. De l'avenue des Ternes au boulevard Malesherbes, Colette, qui habite alors le quartier des Ternes, fait une assez longue promenade à l'emplacement actuel des boulevards Gouvion-Saint-Cyr et Berthier. — **2.** Commune ouvrière de la banlieue nord-ouest de Paris. — **3.** Voile dont l'aspect évoque une chenille (passementerie ayant la forme et l'aspect velu de la chenille). — **4.** Les sonorités de l'expression reproduisent à merveille le bruit de l'étoffe, jusqu'à suggérer sa tessiture. — **5.** Grille métallique qui retient le charbon incandescent dans le foyer. — **6.** Pièce généralement attenante à la cuisine, où l'on range vaisselle, linge de table et provisions. Dans les grandes maisons bourgeoises, partie de l'habitation réservée au service.

voler — mais elle crie, surprise, comme une jeune fille effarouchée et se trouve presque mal d'émotion. Où prit-elle, cette petite louve au rein bas, cette fille des champs wallons[1], sa haine des gens mal mis et sa réserve aristocratique ? Je lui offre sa place à mon feu et dans ma vie, et peut-être m'aimera-t-elle, elle qui sait déjà me défendre...

Ma petite bull au cœur enfantin dort, foudroyée de sommeil, la fièvre au museau et aux pattes. La chatte grise n'ignore pas qu'il neige, et depuis le déjeuner je n'ai pas vu le bout de son nez, enfoui dans le poil de son ventre. Encore une fois me voici, comme au début de l'autre année, assise en face de mon feu, de ma solitude, en face de moi-même...

Une année de plus... À quoi bon les compter ? Ce jour de l'An parisien ne me rappelle rien des premier janvier de ma jeunesse ; et qui pourrait me rendre la solennité puérile[2] des jours de l'An d'autrefois ? La forme des années a changé pour moi — durant que, moi, je changeais. L'année n'est plus cette route ondulée, ce ruban déroulé qui depuis janvier, montait vers le printemps, montait, montait vers l'été pour s'y épanouir en calme plaine, en pré brûlant coupé d'ombres bleues, taché de géraniums éblouissants, — puis descendait vers un automne odorant, brumeux, fleurant le marécage, le fruit mûr et le gibier, — puis s'enfonçait vers un hiver sec, sonore, miroitant d'étangs gelés, de neige rose sous le soleil... Puis le ruban ondulé dévalait, vertigineux, jusqu'à rompre net devant une date merveilleuse, isolée, suspendue entre les deux années comme une fleur de givre : le jour de l'An...

Une enfant très aimée, entre des parents pas riches, et qui vivait à la campagne parmi des arbres et des livres, et qui n'a pas connu ni souhaité les jouets coûteux : voilà ce que je revois, en me penchant ce soir sur mon passé... Une enfant superstitieusement attachée aux fêtes des saisons, aux dates marquées par un cadeau, une fleur, un traditionnel gâteau... Une enfant qui d'instinct ennoblissait de paganis-

---

1. De la Belgique du Sud, de langue et civilisation romanes, par opposition aux Flamands, héritiers des Germains. — 2. Alliance de mots. Ce sont les enfants qui confèrent sa solennité à ce jour.

me [1] les fêtes chrétiennes, amoureuse seulement du rameau de buis, de l'œuf rouge de Pâques, des roses effeuillées à la Fête-Dieu et des reposoirs [2] — syringas [3], aconits [4], camomilles — du surgeon [5] de noisetier sommé [6] d'une petite croix, bénit à la messe de l'Ascension [7] et planté sur la lisière du champ qu'il abrite de la grêle... Une fillette éprise du gâteau à six cornes, cuit et mangé le jour des Rameaux ; de la crêpe, en carnaval ; de l'odeur étouffante de l'église, pendant le mois de Marie [8]...

Vieux curé sans malice [9] qui me donnâtes la communion, vous pensiez que cette enfant silencieuse, les yeux ouverts sur l'autel, attendait le miracle, le mouvement insaisissable de l'écharpe bleue qui ceignait [10] la Vierge ? N'est-ce pas ? J'étais si sage !... Il est bien vrai que je rêvais miracles, mais... pas les mêmes que vous. Engourdie par l'encens des fleurs chaudes, enchantée du parfum mortuaire [11], de la pourriture musquée [12] des roses, j'habitais, cher homme sans malice, un paradis que vous n'imaginiez point, peuplé de mes dieux, de mes animaux parlants, de mes nymphes et de mes chèvre-pieds [13]... Et je vous

---

1. Religion païenne. Les fêtes des saisons dont parle Colette sont en effet toutes empreintes de religiosité. Le Nouvel An se pare de solennité, alors même que les fêtes chrétiennes se transforment dans le cœur de l'enfant en célébration païenne du buis, des roses et des gâteaux. En ce qui concerne les rapports de Sido à la religion, cf. note 9 ci-dessous. — 2. Autels que l'on installe dans les rues pendant la procession de la Fête Dieu, pour y faire reposer le Saint-Sacrement. — 3. Orthographe archaïque pour seringa, arbustes à feuilles dentées et fleurs blanches en grappes terminales, pourvues d'un parfum pénétrant. — 4. Plantes très vénéneuses, employées comme plantes médicinales. — 5. Branche qui naît du collet ou de la souche de l'arbre et susceptible de former un nouvel individu. — 6. À l'origine, terme de blason, se dit pour surmonté. — 7. Fête liturgique célébrant, quarante jours après Pâques, l'élévation de Jésus-Christ dans le ciel. — 8. Il s'agit du mois de mai. — 9. Le curé Millot qui a baptisé Claudine (cf. *En pays connu*) est un personnage de *La Maison de Claudine*. Il s'est fraternellement heurté à la « scandaleuse sincérité » de Sido : « Qu'en savez-vous, monsieur le curé, si je prie ou non ? Je ne sais pas le Pater, c'est vrai. Ce n'est pas long à apprendre ? Ni à oublier, j'aurais bientôt fait... Mais j'ai à la messe quand vous nous obligez à nous mettre à genoux, deux ou trois moments bien tranquilles, pour songer à mes affaires... » (*La Maison de Claudine*). — 10. Du verbe ceindre : entourer. — 11. Qui évoque la mort. — 12. L'ambiguïté est ici maintenue entre le sens propre (l'odeur des roses décomposées évoque celle du musc, forte et pénétrante), et le sens figuré vieilli (l'odeur des roses est, dans sa complexité, apprêtée, recherchée). — 13. Appellation des Satyres qui ont des pieds de chèvre. Colette songe peut-être ici au personnage de Paniska qu'elle a interprété au théâtre en 1906. Dans *La Parade*, Lugné-Poe évoque Colette en Paniska : « Paraître au dernier acte en Paniska presque nue, le front lourd de pampres, dansant en tête d'un cortège bachique, dionysiaque, et qu'importent quelques réminiscences d'accent nivernais... »

écoutais parler de votre enfer, en songeant à l'orgueil de
l'homme qui, pour ses crimes d'un moment, inventa la géhen-
ne[1] éternelle... Ah ! qu'il y a longtemps !...

Ma solitude, cette neige de décembre, ce seuil d'une
autre année ne me rendront pas le frisson d'autrefois, alors
que dans la nuit longue je guettais le frémissement lointain,
mêlé aux battements de mon cœur, du tambour municipal,
donnant, au petit matin du 1er janvier, l'aubade[2], au village
endormi... Ce tambour dans la nuit glacée, vers quatre heures, je le redoutais, je l'appelais du fond de mon lit d'enfant, avec une angoisse nerveuse proche des pleurs, les
mâchoires serrées, le ventre contracté... Ce tambour seul, et
non les douze coups de minuit, sonnait pour moi l'ouverture éclatante de la nouvelle année, l'avènement mystérieux
après quoi haletait le monde entier, suspendu au premier
rrran du vieux tapin[3] de mon village.

Il passait, invisible dans le matin fermé[4], jetant aux murs
son alerte et funèbre petite aubade, et derrière lui une vie
recommençait, neuve et bondissante vers douze mois nou-
veaux... Délivrée, je sautais de mon lit à la chandelle, je
courais vers les souhaits, les baisers, les bonbons, les livres
à tranches[5] d'or... J'ouvrais la porte aux boulangers portant
les cent livres de pain et jusqu'à midi, grave, pénétrée d'une
importance commerciale, je tendais à tous les pauvres, les
vrais et les faux, le chanteau[6] de pain et le décime[7] qu'ils
recevaient sans humilité et sans gratitude...

Matins d'hiver, lampe rouge dans la nuit, air immobile
et âpre d'avant le lever du jour, jardin deviné dans l'aube
obscure, rapetissé, étouffé de neige, sapins accablés qui
laissiez, d'heure en heure, glisser en avalanches le fardeau
de vos bras noirs, — coups d'éventail des passereaux[8] effa-
rés, et leurs jeux inquiets dans une poudre de cristal plus

---

1. Vallée près de Jérusalem où les juifs sacrifiaient leurs enfants à leurs idoles.
Par extension : séjour des damnés, enfer. — 2. Concert donné en plein air, le
plus souvent à l'aube du jour, à la porte de la personne à qui on veut faire
honneur. — 3. Populairement, celui qui bat le tambour. — 4. Par analogie à la
nuit fermée qui désigne la nuit complètement tombée, le matin fermé désigne
l'entre-deux, mi-nuit, mi-matin, l'aube. — 5. Côtés du livre, partie des feuillets
qui a été tranchée pour présenter une surface unie, qui est ensuite dorée.
— 6. Morceau coupé à un grand pain. — 7. Valeur monétaire qui est la dixième
partie du franc.— 8. Synonyme littéraire de moineaux.

ténue, plus pailletée que la brume irisée d'un jet d'eau... Ô tous les hivers de mon enfance, une journée d'hiver vient de vous rendre à moi ! C'est mon visage d'autrefois que je cherche, dans ce miroir ovale saisi d'une main distraite, et non mon visage de femme, de femme jeune que sa jeunesse va, bientôt, quitter...

Enchantée encore de mon rêve, je m'étonne d'avoir changé, d'avoir vieilli pendant que je rêvais... D'un pinceau ému[1] je pourrais repeindre, sur ce visage-ci, celui d'une fraîche enfant roussie de soleil, rosie de froid, des joues élastiques achevées en un menton mince, des sourcils mobiles prompts à se plisser, une bouche dont les coins rusés démentent la courte lèvre ingénue... Hélas, ce n'est qu'un instant. Le velours adorable du pastel ressuscité s'effrite et s'envole... L'eau sombre du petit miroir retient seulement mon image qui est bien pareille, toute pareille à moi, marquée de légers coups d'ongle[2], finement gravée aux paupières, aux coins des lèvres, entre les sourcils têtus... Une image qui ne sourit ni ne s'attriste, et qui murmure, pour moi seule : « Il faut vieillir. Ne pleure pas, ne joins pas des doigts suppliants, ne te révolte pas : il faut vieillir. Répète-toi cette parole, non comme un cri ce désespoir, mais comme le rappel d'un départ nécessaire. Regarde-toi, regarde tes paupières, tes lèvres, soulève sur tes tempes les boucles de tes cheveux : déjà tu commences à t'éloigner de ta vie, ne l'oublie pas, il faut vieillir ! »

« Éloigne-toi lentement, lentement, sans larmes ; n'oublie rien ! Emporte ta santé, ta gaîté, ta coquetterie, le peu de bonté et de justice qui t'a rendu la vie moins amère ; n'oublie pas ! Va-t'en parée, va-t'en douce, et ne t'arrête pas le long de la route irrésistible, tu l'essaierais en vain, — puisqu'il faut vieillir ! Suis le chemin, et ne t'y couche que pour mourir. Et, quand tu t'étendras en travers du vertigineux ruban ondulé[3], si tu n'as pas laissé derrière toi un à un tes cheveux en boucles, ni tes dents une à une, ni tes membres un à un usés, si la poudre éternelle n'a pas, avant

---

1. Hypallage. L'émotion attribuée au pinceau est en réalité celle du peintre. — 2. Il s'agit des petites rides du visage. — 3. L'auteur file la métaphore du « chemin », de la « route » de la vie.

ta dernière heure, sevré tes yeux de la lumière merveilleuse
— si tu as, jusqu'au bout gardé dans ta main la main amie
qui te guide, couche-toi en souriant, dors heureuse, dors
privilégiée... »

CHANSON DE LA DANSEUSE[1]

Ô toi[2] qui me nommes danseuse, sache, aujourd'hui, que
je n'ai pas appris à danser. Tu m'as rencontrée petite et
joueuse, dansant sur la route et chassant devant moi mon
ombre bleue. Je virais comme une abeille, et le pollen d'une
poussière blonde poudrait mes pieds et mes cheveux couleur de chemin...

Tu m'as vue revenir de la fontaine, berçant l'amphore[3]
au creux de ma hanche tandis que l'eau, au rythme de mon
pas, sautait sur ma tunique en larmes rondes, en serpents
d'argent, en courtes fusées frisées qui montaient, glacées,
jusqu'à ma joue... Je marchais lente, sérieuse, mais tu nommais mon pas une danse. Tu ne regardais pas mon visage,
mais tu suivais le mouvement de mes genoux, le balance-
ment de ma taille, tu lisais sur le sable la forme de mes
talons nus, l'empreinte de mes doigts écartés, que tu com-
parais à celle de cinq perles inégales...

Tu m'as dit : « Cueille ces fleurs, poursuis ce papillon... » car tu nommais ma course une danse, et chaque
révérence de mon corps penché sur les œillets de pourpre,
et le geste, à chaque fleur recommencé, de rejeter sur mon
épaule une écharpe glissante...

Dans ta maison, seule entre toi et la flamme haute d'une
lampe, tu m'as dit : « Danse ! » et je n'ai pas dansé.

Mais nue dans tes bras, liée à ton lit par le ruban de feu
du plaisir, tu m'as pourtant nommée danseuse, à voir bondir

---

1. La nouvelle paraît pour la première fois le 15 avril 1909, dans *Fantasio*.
— 2. L'énigmatique pronom désigne peut-être Missy. — 3. Vase en terre cuite
à deux anses et à col allongé. L'amphore renvoie à l'Orient antique et a, ici, une
connotation exotique.

sous ma peau, de ma gorge renversée à mes pieds recourbés, la volupté inévitable...

Lasse, j'ai renoué mes cheveux, et tu les regardais, dociles, s'enrouler à mon front comme un serpent que charme la flûte...

J'ai quitté ta maison durant que[1] tu murmurais : « La plus belle de tes danses, ce n'est pas quand tu accours, haletante, pleine d'un désir irrité et tourmentant déjà, sur le chemin, l'agrafe de ta robe... C'est quand tu t'éloignes de moi, calmée et les genoux fléchissants, et qu'en t'éloignant tu me regardes, le menton sur l'épaule... Ton corps se souvient de moi, oscille et hésite, tes hanches me regrettent et tes seins me remercient... Tu me regardes, la tête tournée, tandis que tes pieds divinateurs[2] tâtent et choisissent leur route...

« Tu t'en vas, toujours plus petite et fardée par le soleil couchant, jusqu'à n'être plus, en haut de la pente, toute mince dans ta robe orangée, qu'une flamme droite, qui danse imperceptiblement... »

Si tu ne me quittes pas, je m'en irai, dansant, vers ma tombe blanche.

D'une danse involontaire et chaque jour ralentie, je saluerai la lumière qui me fit belle et qui me vit aimée.

Une dernière danse tragique me mettra aux prises avec la mort, mais je ne lutterai que pour succomber avec grâce.

Que les dieux m'accordent une chute harmonieuse, les bras joints au-dessus de mon front, une jambe pliée et l'autre étendue, comme prête à franchir, d'un bond léger, le seuil noir du royaume des ombres...

Tu me nommes danseuse, et pourtant je ne sais pas danser...

---

1. Vieilli, équivalent de pendant que. — **2.** Hypallage. Les pieds cherchent à deviner la configuration du sol.

NUIT BLANCHE[1]

Il n'y a dans notre maison qu'un lit, trop large, pour toi, un peu étroit pour nous deux. Il est chaste[2], tout blanc, tout nu[2] ; aucune draperie ne voile, en plein jour, son honnête candeur[2]. Ceux qui viennent nous voir le regardent tranquillement, et ne détournent pas les yeux d'un air complice, car il est marqué, au milieu, d'un seul vallon moelleux, comme le lit d'une jeune fille qui dort seule.

Ils ne savent pas, ceux qui entrent ici, que chaque nuit le poids de nos deux corps joints creuse un peu plus, sous son linceul voluptueux[3], ce vallon pas plus large qu'une tombe.

Ô notre lit tout nu ! Une lampe éclatante, penchée sur lui, le dévêt encore. Nous n'y cherchons pas, au crépuscule, l'ombre savante, d'un gris d'araignée, que filtre un dais de dentelle, ni la rose lumière d'une veilleuse couleur de coquillage... Astre sans aube et sans déclin, notre lit ne cesse de flamboyer que pour s'enfoncer dans une nuit profonde et veloutée.

Un halo de parfum le nimbe[4] ; — il embaume[5], rigide et blanc, comme le corps d'une bienheureuse défunte. C'est un parfum compliqué qui surprend, qu'on respire attentivement, avec le souci d'y démêler l'âme blonde de ton tabac favori, l'arôme plus blond de ta peau si claire, et ce santal

---

1. Le texte paraît le 27 juin 1907, dans *La Vie parisienne*. L'ensemble que composent « Nuit blanche », « Jour gris », « Le Dernier Feu » est dédicacé à Missy sous l'initiale « Pour M... ». La marquise Mathilde de Morny dite Missy, partagea la vie de Colette à partir de 1906. Elles partagèrent également les joies du music-hall et un certain goût de la provocation, sur scène comme à la ville. — **2.** Hypallage. Les corps qu'abrite ce lit lui transmettent leurs qualités : nudité, candeur, chasteté. Il est ainsi personnifié. — **3.** Association oxymorique de la mort (linceul) et du plaisir (voluptueux). — **4.** Le lit est pourvu d'un cercle semblable à celui dont les peintres entourent la tête des saints, mais il faut noter qu'ici la lumière qui habituellement « nimbe », s'est muée en parfum. On retrouvera dans tout le texte ce glissement, cette confusion métaphorique des sensations visuelles et olfactives. — **5.** Le terme est, à cet endroit, polysémique. Le lit exhale un suave parfum, mais ce parfum même évoque les pratiques funéraires qui consistent à emplir les corps de parfums balsamiques, afin de les garder de la putréfaction. La présence d'un parfum mortuaire est suggérée encore par la comparaison « comme le corps d'une bienheureuse défunte ».

brûlé qui s'exhale de moi ; — mais cette agreste[1] odeur d'herbes écrasées, qui peut dire si elle est mienne ou tienne ?

Reçois-nous ce soir, ô notre lit, et que ton frais vallon se creuse un peu plus sous la torpeur[2] fiévreuse dont nous enivra une journée de printemps, dans les jardins et dans les bois !...

Je gis[3] sans mouvement, la tête sur ta douce épaule. Je vais sûrement, jusqu'à demain, descendre au fond d'un noir sommeil, un sommeil si têtu, si fermé, que les ailes des rêves le viendront battre en vain. Je vais dormir... Attends seulement que je cherche, pour la plante de mes pieds qui fourmille et brûle, une place toute fraîche... Tu n'as pas bougé. Tu respires à longs traits, mais je sens ton épaule encore éveillée, attentive à se creuser sous ma joue... Dormons... Les nuits de mai sont si courtes. Malgré l'obscurité bleue qui nous baigne, mes paupières sont encore pleines de soleil, de flammes roses, d'ombres qui bougent, balancées, et je contemple ma journée les yeux clos, comme on se penche, derrière l'abri d'une persienne, sur un jardin d'été éblouissant...

Comme mon cœur bat ! J'entends aussi le tien sous mon oreille. Tu ne dors pas ? Je lève un peu la tête, je devine la pâleur de ton visage renversé, l'ombre fauve de tes courts cheveux. Tes genoux sont frais comme deux oranges... Tourne-toi de mon côté, pour que les miens leur volent cette lisse fraîcheur...

Ah ! dormons !... Mille fois mille fourmis courent avec mon sang sous ma peau. Les muscles de mes mollets battent, mes oreilles tressaillent, et notre doux lit, ce soir, est-il jonché d'aiguilles de pin ? Dormons ! je le veux !

Je ne puis dormir. Mon insomnie heureuse palpite, allègre, et je devine, en ton immobilité, le même accablement frémissant... Tu ne bouges pas. Tu espères que je dors. Ton bras se resserre parfois autour de moi, par tendre habitude, et tes pieds charmants s'enlacent aux miens... Le sommeil s'approche, me frôle et fuit... Je le vois ! Il est pareil à ce

---

1. Propre aux terres incultes, aux campagnes à cultures primitives. — **2.** Engourdissement. — **3.** Du verbe gésir. Littéraire, être étendu, couché.

papillon de lourd velours [1] que je poursuivais, dans le jardin enflammé d'iris... Tu te souviens ? Quelle lumière, quelle jeunesse impatiente exaltait toute cette journée !... Une brise acide et pressée jetait sur le soleil une fumée de nuages rapides, fanait en passant les feuilles trop tendres des tilleuls, et les fleurs du noyer tombaient en chenilles [2] roussies sur nos cheveux, avec les fleurs des paulownias [3], d'un mauve pluvieux [4] de ciel parisien... Les pousses des cassis que tu froissais, l'oseille sauvage en rosace [5] parmi le gazon, la menthe toute jeune, encore brune, la sauge duvetée [6] comme une oreille de lièvre — tout débordait d'un suc énergique et poivré, dont je mêlais sur mes lèvres le goût d'alcool et de citronnelle...

Je ne savais que rire et crier, en foulant la longue herbe juteuse qui tachait ma robe... Ta tranquille joie veillait sur ma folie, et quand j'ai tendu la main pour atteindre ces églantines, tu sais, d'un rose si ému [7] — la tienne a rompu la branche avant moi, et tu as enlevé, une à une, les petites épines courbes, couleur de corail, en forme de griffes... Tu m'as donné les fleurs désarmées...

Tu m'as donné les fleurs désarmées... Tu m'as donné, pour que je m'y repose haletante, la place la meilleure à l'ombre, sous le lilas de Perse aux grappes mûres... Tu m'as cueilli les larges bleuets des corbeilles, fleurs enchantées dont le cœur velu [8] embaume [9] l'abricot... Tu m'as donné la crème du petit pot de lait, à l'heure du goûter où ma faim féroce te faisait sourire... Tu m'as donné le pain le plus doré, et je vois encore ta main transparente dans le soleil, levée pour chasser la guêpe qui grésillait [10], prise dans les boucles de mes cheveux... Tu as jeté sur mes épaules une mante [11] légère, quand un nuage plus long, vers la fin du

---

1. Métaphore. Les ailes du papillon ont l'aspect du velours, et son vol hésitant peut suggérer qu'elles sont lourdes à porter. — 2. Les fleurs forment sans doute une sorte de chenille semblable à la passementerie de soie. — 3. Cet arbre originaire du Japon fut planté pour la première fois à Paris au Second Empire. — 4. Le mauve est teinté de gris comme sous un ciel de pluie. — 5. En forme de roses stylisées. — 6. Recouverte d'un fin duvet. — 7. Le rose de l'églantine évoque la couleur qui colore les joues sous l'effet d'une émotion. — 8. Garni de poils fins et serrés. — 9. Fait de dégager une odeur suave. — 10. Bruit que font les ailes. — 11. Vêtement de femme ample et à manches qui se porte pardessus les autres vêtements, par temps froid.

jour, a passé ralenti, et que j'ai frissonné, toute moite [1], tout ivre d'un plaisir sans nom parmi les hommes, le plaisir ingénu des bêtes heureuses dans le printemps... Tu m'as dit : « Reviens... arrête-toi... Rentrons ! » Tu m'as dit...

Ah ! si je pense à toi, c'en est fait de mon repos. Quelle heure vient de sonner ? Voici que les fenêtres bleuissent. J'entends bourdonner mon sang, ou bien c'est le murmure des jardins, là-bas... Tu dors ? non. Si j'approchais ma joue de la tienne, je sentirais tes cils frémir comme l'aile d'une mouche captive... Tu ne dors pas. Tu épies ma fièvre. Tu m'abrites contre les mauvais songes ; tu penses à moi comme je pense à toi, et nous feignons, par une étrange pudeur sentimentale, un paisible sommeil. Tout mon corps s'abandonne, détendu, et ma nuque pèse sur ta douce épaule ; — mais nos pensées s'aiment discrètement à travers cette aube bleue, si prompte à grandir...

Bientôt la barre lumineuse, entre les rideaux, va s'aviver, rosir... Encore quelques minutes, et je pourrai lire, sur ton beau front, sur ton menton délicat, sur ta bouche triste et tes paupières fermées, la volonté de paraître dormir... C'est l'heure où ma fatigue, mon insomnie énervées ne pourront plus se taire, où je jetterai mes bras hors de ce lit enfiévré, et mes talons méchants déjà préparent leur ruade sournoise...

Alors tu feindras de t'éveiller ! Alors je pourrai me réfugier en toi, avec de confuses plaintes injustes, des soupirs excédés, des crispations qui maudiront le jour déjà venu, la nuit si longue à finir, le bruit de la rue... Car je sais bien qu'alors tu resserreras ton étreinte, et que, si le bercement de tes bras ne suffit pas à me calmer, ton baiser se fera plus tenace, tes mains plus amoureuses, et que tu m'accorderas la volupté comme un secours, comme l'exorcisme [2] souverain [3] qui chasse de moi les démons de la fièvre, de la colère, de l'inquiétude... Tu me donneras la volupté, penchée sur moi, les yeux pleins d'une anxiété maternelle, toi qui cherches, à travers ton amie passionnée, l'enfant que tu n'as pas eu...

---

1. Légèrement humide. — **2.** Pratique religieuse ou magique qui consiste à chasser le démon. La rencontre amoureuse est ici fortement ritualisée, sacralisée. — **3.** Tout-puissant.

JOUR GRIS[1]

Laisse-moi. Je suis malade et méchante, comme la mer. Resserre autour de mes jambes ce plaid[2], mais emporte cette tasse fumante, qui fleure[3] le foin mouillé, le tilleul, la violette fade[4]... Je ne veux rien, que détourner la tête et ne plus voir la mer, ni le vent qui court, visible, en risées sur le sable, en poudre d'eau sur la mer. Tantôt il bourdonne, patient et contenu, tapi derrière la dune, enfoui plus loin que l'horizon... Puis il s'élance, avec un cri guerrier, secoue humainement les volets, et pousse sous la porte, en frange impalpable, la poussière de son pas éternel[5]...

Ah ! qu'il me fait mal ! Je n'ai plus en moi une place secrète, un coin abrité, et mes mains posées à plat sur mes oreilles n'empêchent qu'il traverse et refroidisse ma cervelle... Nue, balayée, dispersée, je resserre en vain les lambeaux de ma pensée ; — elle m'échappe, palpitante, comme un manteau arraché, comme une mouette dont on tient les pattes et qui se délivre en claquant des ailes...

Laisse-moi, toi qui viens doucement, pitoyable[6], poser tes mains sur mon front. Je déteste tout, et par-dessus tout la mer ! Va la regarder, toi qui l'aimes ! Elle bat la terrasse, elle fermente, fuse[7] en mousse jaune, elle miroite, couleur de poisson mort, elle emplit l'air d'une odeur d'iode et de fertile pourriture. Sous la vague plombée[8], je devine le peuple abominable des bêtes sans pieds, plates, glissantes, glacées... Tu ne sens donc pas que le flot et le vent portent, jusque dans cette chambre, l'odeur d'un coquillage gâté[9] ?... Oh ! reviens, toi qui peux presque tout pour moi ! Ne me laisse pas seule ! Donne, sous mes narines que le

---

1. La nouvelle paraît le 28 septembre 1907, dans *La Vie parisienne*. Elle a été publiée au retour d'un séjour dans une villa louée au Crotoy, sur la baie de la Somme, en face de Saint-Valery par Missy. — 2. Couverture de voyage généralement de dessin écossais. Le mot étant emprunté de l'écossais, le « *d* » final se prononce. — 3. Du verbe fleurer, équivalent poétique de sentir. — 4. C'est l'odeur de la violette qui est fade. — 5. Le pas désigne ici le mouvement, l'allure du vent, et achève le processus de personnification du vent déjà à l'œuvre dans le paragraphe. — 6. Apitoyée. Emploi vieilli, fréquent chez Colette (cf. p. 44). — 7. Du verbe fuser. Se répandre lentement, fondre. — 8. Qui a la couleur et peut-être le poids du plomb. — 9. Avarié, pourri.

dégoût pince et décolore, donne tes mains parfumées, donne tes doigts secs et chauds et fins comme des lavandes de montagne... Reviens ! Tiens-toi tout près de moi, ordonne à la mer de s'éloigner ! Fais un signe au vent, et qu'il vienne se coucher sur le sable, pour y jouer en rond avec les coquilles... Fais un signe : il s'assoira sur la dune, léger, et s'amusera, d'un souffle, à changer la forme des mouvantes collines...

Ah ! tu secoues la tête... Tu ne veux pas — tu ne peux pas. Alors, va-t'en, abandonne-moi sans secours dans la tempête, et qu'elle abatte la muraille et qu'elle entre et m'emporte ! Quitte la chambre, que je n'entende plus le bruit inutile de ton pas. Non, non, pas de caresses ! Tes mains magiciennes, et ton accablant[1] regard, et ta bouche, qui dissout le souvenir d'autres bouches, seraient sans force aujourd'hui. Je regrette, aujourd'hui, quelqu'un qui me posséda avant tous, avant toi, avant que je fusse une femme.

J'appartiens à un pays que j'ai quitté[2]. Tu ne peux empêcher qu'à cette heure s'y épanouisse au soleil toute une chevelure embaumée de forêts[3]. Rien ne peut empêcher qu'à cette heure l'herbe profonde y noie le pied des arbres, d'un vert délicieux et apaisant dont mon âme a soif... Viens, toi qui l'ignores, viens que je te dise tout bas : le parfum des bois de mon pays égale la fraise et la rose ! Tu jurerais, quand les taillis de ronces y sont en fleur, qu'un fruit mûrit on ne sait où — là-bas, ici, tout près — un fruit insaisissable qu'on aspire en ouvrant les narines. Tu jurerais, quand l'automne pénètre et meurtrit les feuillages tombés, qu'une pomme trop mûre vient de choir, et tu la cherches et tu la flaires, ici, là-bas, tout près...

Et si tu passais[4] en juin, entre les prairies fauchées, à l'heure où la lune ruisselle sur les meules rondes qui sont les dunes de mon pays, tu sentirais, à leur parfum, s'ouvrir ton cœur. Tu fermerais les yeux, avec cette fierté grave dont

---

1. Écrasant. C'est le bonheur qui fait vaciller la narratrice sous le regard de l'être aimé, comme sous une charge excessive. — 2. La nostalgie du Nivernais, liée à celle de l'enfance, et à la figure maternelle, est sensible dans l'ensemble du texte. — 3. Remplie de toutes les odeurs de la forêt. — 4. La narratrice joue sur les notations de couleur, c'est la densité de la végétation qui donne l'impression que le vert est presque noir.

tu voiles ta volupté, et tu laisserais tomber ta tête, avec un muet soupir...

Et si tu arrivais, un jour d'été, dans mon pays, au fond d'un jardin que je connais, un jardin noir de verdure et sans fleurs, si tu regardais bleuir, au lointain, une montagne ronde où les cailloux, les papillons et les chardons se teignent du même azur mauve et poussiéreux, tu m'oublierais, et tu t'assoirais là, pour n'en plus bouger jusqu'au terme de ta vie.

Il y a encore, dans mon pays, une vallée étroite comme un berceau où, le soir, s'étire et flotte un fil de brouillard, un brouillard ténu[1], blanc, vivant, un gracieux spectre de brume couché sur l'air humide... Animé d'un lent mouvement d'onde, il se fond en lui-même et se fait tour à tour nuage, femme endormie, serpent langoureux, cheval à cou de chimère[2]... Si tu restes trop tard penché vers lui sur l'étroite vallée, à boire l'air glacé qui porte ce brouillard vivant comme une âme, un frisson te saisira, et toute la nuit tes songes seront fous...

Écoute encore, donne tes mains dans les miennes : si tu suivais, dans mon pays, un petit chemin que je connais, jaune et bordé de digitales[3] d'un rose brûlant, tu croirais gravir le sentier enchanté qui mène hors de la vie... Le chant bondissant des frelons fourrés de velours t'y entraîne et bat à tes oreilles comme le sang même de ton cœur, jusqu'à la forêt, là-haut, où finit le monde... C'est une forêt ancienne, oubliée des hommes, et toute pareille au paradis, écoute bien, car...

Comme te voilà pâle et les yeux grands ! Que t'ai-je dit ! Je ne sais plus... je parlais, je parlais de mon pays, pour oublier la mer et le vent... Te voilà pâle, avec des yeux jaloux... Tu me rappelles à toi, tu me sens si lointaine... Il faut que je refasse le chemin, il faut qu'une fois encore j'arrache, de mon pays, toutes mes racines qui saignent...

Me voici ! de nouveau je t'appartiens. Je ne voulais qu'oublier le vent et la mer. J'ai parlé en songe... Que t'ai-je dit ? Ne le crois pas ! Je t'ai parlé sans doute d'un pays

---

1. Qui est très mince, très fin. — 2. La chimère est un monstre mythologique composite de formes diverses. — 3. Plantes dont la corolle ressemble à un doigtier renversé.

de merveilles, où la saveur de l'air enivre ?... Ne le crois
pas ! N'y va pas : tu le chercherais en vain. Tu ne verrais
qu'une campagne un peu triste, qu'assombrissent les forêts,
un village paisible et pauvre, une vallée humide, une montagne bleuâtre et nue qui ne nourrit pas même les chèvres...

Reprends-moi ! me voici revenue. Où donc est allé le
vent, en mon absence ? Dans quel creux de dune boude-
t-il, fatigué ? Un rayon aigu, serré entre deux nuées, pique
la mer et rebondit ici, dans ce flacon où il danse à l'étroit...

Jette ce plaid[1] qui m'étouffe ; vois ! la mer verdit déjà...
Ouvre la fenêtre et la porte, et courons vers la fin dorée de
ce jour gris, car je veux cueillir sur la grève les fleurs de
ton pays[2] apportées par la vague — fleurs impérissables
effeuillées en pétales de nacre rose, ô coquillages...

LE DERNIER FEU[3]

Allume, dans l'âtre, le dernier feu de l'année ! Le soleil
et la flamme illumineront ensemble ton visage. Sous ton
geste, un ardent bouquet jaillit, enrubanné de fumée, mais
je ne reconnais plus notre feu de l'hiver, notre feu arrogant
et bavard, nourri de fagots secs et de souches riches. C'est
qu'un astre plus puissant, entré d'un jet par la fenêtre
ouverte, habite en maître notre chambre, depuis ce matin...

Regarde ! il n'est pas possible que le soleil favorise,
autant que le nôtre, les autres jardins ! Regarde bien ! car
rien n'est pareil ici à notre enclos de l'an dernier, et cette
année, jeune encore et frissonnante, s'occupe déjà de changer le décor de notre douce vie retirée... Elle allonge, d'un
bourgeon[4] cornu et verni, chaque branche de nos poiriers —
d'une houppe de feuilles pointues chaque buisson de lilas...

---

1. Cf. note 2 p. 39. — **2.** Les coquillages de ce paysage marin s'opposent au
jardin et à la forêt regrettés de l'enfance. — **3.** Le texte paraît le 23 mai 1907, dans
La Vie parisienne. L'évocation inquiète du printemps de 1907 est très liée à la suite
du temps, aux printemps évanouis et regrettés de l'enfance. — **4.** Extrémité végé-
tale de l'arbre qui, le printemps venu, se développera en feuilles.

Oh ! les lilas surtout, vois comme ils grandissent ! Leurs fleurs que tu baisais en passant, l'an dernier, tu ne les respireras, Mai revenu, qu'en te haussant sur la pointe des pieds, et tu devras lever les mains pour abaisser leurs grappes vers ta bouche... Regarde bien l'ombre, sur le sable de l'allée, que dessine le délicat squelette du tamaris [1] : l'an prochain, tu ne la reconnaîtras plus...

Et les violettes elles-mêmes, écloses par magie dans l'herbe, cette nuit, les reconnais-tu ? Tu te penches, et comme moi tu t'étonnes ; ne sont-elles pas, ce printemps-ci, plus bleues ? Non, non, tu te trompes, l'an dernier je les ai vues moins obscures, d'un mauve azuré, ne te souviens-tu pas ?... Tu protestes, tu hoches la tête avec ton rire grave, le vert de l'herbe neuve décolore l'eau mordorée de ton regard [2]... Plus mauves... non, plus bleues... Cesse cette taquinerie ! Porte plutôt à tes narines le parfum invariable [3] de ces violettes changeantes et regarde, en respirant le philtre [4] qui abolit les années, regarde comme moi ressusciter et grandir devant toi les printemps de ton enfance...

Plus mauves... non, plus bleues... Je revois des prés, des bois profonds que la première poussée des bourgeons embrume d'un vert insaisissable, — des ruisseaux froids, des sources perdues, bues par le sable aussitôt que nées, des primevères de Pâques, des jeannettes jaunes au cœur safrané, et des violettes, des violettes, des violettes... Je revois une enfant silencieuse que le printemps enchantait déjà d'un bonheur sauvage, d'une triste et mystérieuse joie... Une enfant prisonnière, le jour, dans une école, et qui échangeait des jouets, des images, contre les premiers bouquets de violettes des bois, noués d'un fil de coton rouge, rapportés par les petites bergères des fermes environnantes... Violettes à courte tige, violettes blanches et violettes bleues, et violettes d'un blanc-bleu veiné de nacre mauve, — violettes de coucou [5] anémiques et larges, qui

---

1. Arbrisseau à feuilles très petites et à fleurs en épis. Le « *s* » final est prononcé. — 2. Métaphore. Les subtiles notations de couleur suggèrent la transparence, et le brun chaud à reflets dorés des yeux. — 3. Le parfum reste identique d'une année sur l'autre, contrairement à la couleur des violettes. — 4. Breuvage qu'on supposait propre à inspirer l'amour. — 5. Terme de jardinage : fraisier qui fleurit beaucoup mais ne fructifie pas.

haussent sur de longues tiges leurs pâles corolles inodores...
Violettes de février, fleuries sous la neige, déchiquetées,
roussies de gel, laideronnes[1], pauvresses parfumées... Ô
violettes de mon enfance ! Vous montez devant moi, toutes,
vous treillagez[2] le ciel laiteux d'avril, et la palpitation de
vos petits visages innombrables m'enivre...

À quoi penses-tu, toi, la tête renversée ? Tes yeux tranquilles se lèvent vers le soleil qu'ils bravent... Mais c'est
pour suivre seulement le vol de la première abeille, engourdie, égarée, en quête d'une fleur de pêcher mielleuse[3]...
Chasse-la ! elle va se prendre au vernis de ce bourgeon[4] de
marronnier !... Non, elle se perd dans l'air bleu, couleur de
lait de pervenches, dans ce ciel brumeux et pourtant pur,
qui t'éblouit... Ô toi, qui te satisfais peut-être de ce lambeau
d'azur, ce chiffon de ciel borné par les murs de notre étroit
jardin, songe qu'il y a, quelque part dans le monde, un lieu
envié d'où l'on découvre tout le ciel ! Songe, comme tu
songerais à un royaume inaccessible, songe aux confins[5]
de l'horizon, au pâlissement délicieux du ciel qui rejoint la
terre... En ce jour de printemps hésitant, je devine là-bas, à
travers les murs, la ligne poignante[6], à peine ondulée, de
ce qu'enfant je nommais le bout de la terre... Elle rosit, puis
bleuit, dans un or plus doux au cœur que le suc d'un fruit...
Ne me plaignez pas, beaux yeux pitoyables[7], d'évoquer si
vivement ce que je souhaite ! Mon souhait vorace crée ce
qui lui manque et s'en repaît. C'est moi qui souris, charita-
ble, à tes mains oisives, vides de fleurs... Trop tôt, trop tôt !
Nous et l'abeille, et la fleur du pêcher, nous cherchons trop
tôt le printemps...

L'iris dort, roulé en cornet sous une triple soie verdâtre,
la pivoine perce la terre d'une raide branche de corail vif,
et le rosier n'ose encore que des surgeons[8] d'un marron
rose, d'une vivante couleur de lombric[9]... Cueille pourtant
la giroflée brune qui devance la tulipe, elle est colorée,

---

1. Terme vieilli, jeunes femmes laides. — **2.** Recouvrir d'une treille (cf. note 5, p. 55). — **3.** Particulièrement propice à la confection du miel. — **4.** Cf. note 4, p. 42. — **5.** Partie d'un espace placée à l'extrémité, aux frontières avec un autre espace. — **6.** Du verbe poindre. Apparaître, se faire jour. — **7.** Cf. note 6, p. 39. — **8.** Cf. p. 39. — **9.** De la couleur brun-rosé et vernie du ver de terre.

rustaude[1] et vêtue d'un velours solide, comme une terras-
sière[2]... Ne cherche pas le muguet encore ; entre deux val-
ves[3] de feuilles, allongées en coquilles de moules,
mystérieusement s'arrondissent ses perles d'un orient vert,
d'où coulera l'odeur souveraine...

Le soleil a marché sur le sable... Un souffle de glace, qui
sent la grêle, monte de l'Est violacé. Les fleurs du pêcher
volent horizontales... Comme j'ai froid ! La chatte sia-
moise, tout à l'heure morte d'aise sur le mur tiède, ouvre
soudain ses yeux de saphir dans son masque de velours
sombre... Longue, le ventre à ras de terre, elle rampe vers
la maison, en pliant sur sa nuque ses frileuses oreilles...
Viens ! j'ai peur de ce nuage violet, liséré[4] de cuivre, qui
menace le soleil couchant... Le feu que tu as allumé tout à
l'heure danse dans la chambre, comme une joyeuse bête
prisonnière qui guette notre retour...

Ô dernier feu de l'année ! Le dernier, le plus beau ! Ta
pivoine rose[5], échevelée, emplit l'âtre d'une gerbe incessamment refleurie. Inclinons-nous vers lui, tendons-lui nos mains
que sa lueur traverse et ensanglante[6]... Il n'y a pas, dans notre
jardin, une fleur plus belle que lui, un arbre plus compliqué, une
herbe plus mobile, une liane aussi traîtresse, aussi impérieuse !
Restons ici, choyons ce dieu changeant qui fait danser un sourire en tes yeux mélancoliques... Tout à l'heure, quand je quitte-
rai ma robe, tu me verras toute rose, comme une statue peinte.
Je me tiendrai immobile devant lui, et sous la lueur haletante[7]
ma peau semblera s'animer, frémir et bouger comme aux heures où l'amour, d'une aile inévitable, s'abat sur moi... Restons !
Le dernier feu de l'année nous invite au silence, à la paresse, au
tendre repos. J'écoute, la tête sur ta poitrine, palpiter le vent,
les flammes et ton cœur, cependant qu'à la vitre noire toque[8]
incessamment une branche de pêcher rose, à demi effeuillée,
épouvantée et défaite comme un oiseau sous l'orage...

---

1. Qui manque d'élégance et de finesse. — **2.** Femme qui travaille la terre,
de conformation robuste. — **3.** Éléments qui s'écartent ou se séparent lors de la
maturation d'un fruit, d'une fleur. — **4.** Finement bordé. — **5.** Métaphore. Les
flammes évoquent la couleur et la forme de la fleur. — **6.** La chair de la main
présentée au feu s'irradie et semble rougie de sang. — **7.** Les lueurs du feu
produisent sur la peau des reflets saccadés, vifs, coupés ; l'image suggère également que le feu, personnifié, respire. — **8.** Touche.

AMOURS[1]

Le rouge-gorge triompha. Puis, il alla chanter sa victoire à petits cris secs, invisible au plus épais du marronnier. Ii n'avait pas reculé devant la chatte. Il s'était tenu suspendu dans l'air, un peu au-dessus d'elle, en vibrant comme une abeille, cependant qu'il lui jetait, par éclats brefs, des discours intelligibles à qui connaît la manière outrecuidante du rouge-gorge, et sa bravoure : « Insensée ! Tremble ! Je suis le rouge-gorge ! Oui, le rouge-gorge lui-même ! Un pas de plus, un geste vers le nid où couve ma compagne, et, de ce bec, je te crève les yeux ! »

Prête à intervenir, je veillais, mais la chatte sait que les rouges-gorges sont sacrés, elle sait aussi qu'à tolérer une attaque d'oiseau, un chat risque le ridicule — elle sait tant de choses... Elle battit de la queue comme un lion, frémit du dos, mais céda la place au frénétique petit oiseau, et nous reprîmes toutes deux notre promenade du crépuscule. Promenade lente, agréable, fructueuse ; la chatte découvre, et je m'instruis. Pour dire vrai, elle semble découvrir. Elle fixe un point dans le vide, tombe en arrêt devant l'invisible, sursaute à cause du bruit que je ne perçois pas. Alors, c'est mon tour, et je tâche d'inventer ce qui la tient attentive.

À fréquenter le chat, on ne risque que de s'enrichir. Serait-ce par calcul que depuis un demi-siècle[2], je recherche sa compagnie ? Je n'eus jamais à le chercher loin : il naît sous mes pas. Chat perdu, chat de ferme traqueur et traqué, maigri d'insomnie, chat de libraire embaumé[3] d'encre, chats des crémeries et des boucheries, bien nourris, mais transis, les plantes sur le carrelage ; chats poussifs de la petite bourgeoisie, enflés de mou ; heureux chats despotes qui régnez sur Claude Farrère[4], sur Paul Morand[5] — et

---

1. Le texte paraît pour la première fois en 1934 dans l'édition Ferenczi des *Vrilles de la vigne*. — **2.** Née en 1873, Colette est alors âgée de 61 ans. — **3.** Parfumé. Ici par l'encre. — **4.** Officier de marine et écrivain français (1876-1957), il est l'exact contemporain de Colette. Comme elle, il aime passionnément les chats. — **5.** Écrivain français (1888-1976). Esthète cosmopolite, il incarne la frénésie des années folles et le dandysme désabusé. Il partage avec Claude Farrère et Colette l'amour des chats.

sur moi... Tous vous me rencontrez sans surprise, non sans
bonheur. Qu'entre cent chats, elle témoigne, un jour, en ma
faveur, cette chatte errante et affamée qui se heurtait, en
criant, à la foule que dégorge, le soir, le métro d'Auteuil[1].
Elle me démêla[2], me reconnut : « Enfin, toi !... Comme tu
as tardé, je n'en puis plus... Où est ta maison ? Va, je te
suis... » Elle me suivit, si sûre de moi que le cœur m'en
battait. Ma maison lui fit peur d'abord, parce que je n'y
étais pas seule. Mais elle s'habitua, et y resta quatre ans,
jusqu'à sa mort accidentelle.

Loin de moi de vous oublier, chiens chaleureux, meurtris
de peu, pansés de rien. Comment me passerais-je de vous ?
Je vous suis si nécessaire... Vous me faites sentir le prix
que je vaux. Un être existe donc encore, pour qui je rem-
place tout ? Cela est prodigieux, réconfortant — un peu
trop facile. Mais, cachons-le cet être aux yeux éloquents,
cachons-le, dès qu'il subit ses amours saisonnières et qu'un
lien douloureux rive la femelle au mâle[3]... Vite, un para-
vent, une bâche, un parasol de plage — et, par surcroît,
allons-nous-en. Et ne revenons pas de huit jours, au bout
desquels « Il » ne « La » reconnaîtra même pas : « l'ami de
l'homme » est rarement l'ami du chien.

J'en sais plus sur l'attachement qu'il me porte et sur
l'exaltation qu'il y puise, que sur la vie amoureuse du
chien. C'est que je préfère, entre dix races qui ont mon
estime, celle à qui les chances de maternité sont interdites.
Il arrive que la terrière brabançonne[4], la bouledogue française — types camards[5] à crâne volumineux, qui périssent
souvent en mettant bas — renoncent d'instinct aux voluptueux bénéfices semestriels[6]. Deux de mes chiennes boule-
dogues mordaient les mâles, et ne les acceptaient pour
partenaires de jeu qu'en période d'innocence. Une caniche,
trop subtile, refusait tous les partis et consolait sa stérilité
volontaire en feignant de nourrir un chiot en caoutchouc
rouge... Oui, dans ma vie, il y a eu beaucoup de chiens —

---

1. Le lieu assez vague de la rencontre ne permet pas de dater précisément
l'épisode évoqué. — 2. Apercevoir, reconnaître quelqu'un au milieu de beaucoup d'autres personnes. — 3. L'accouplement canin se prolonge ridiculement.
— 4. Race canine. Femelle terrier du Brabant. — 5. Cf. note 4, p. 27. — 6. Ser-
vices, bienfaits. Ici, référence ironique d'ordre sexuel.

mais il y a eu le chat[1]. À l'espèce chat, je suis redevable d'une certaine sorte, honorable, de dissimulation, d'un grand empire sur moi-même, d'une aversion[2] caractérisée pour les sons brutaux, et du besoin de me taire longuement.

Cette chatte, qui vient de poser en « gros premier plan » dans le roman qui porte son nom[3], la chatte du rouge-gorge, je ne la célèbre qu'avec réserve, qu'avec trouble. Car, si elle m'inspire, je l'obsède. Sans le vouloir, je l'ai attirée hors du monde félin. Elle y retourne au moment des amours, mais le beau matou parisien, l'étalon qui « va en ville », pourvu de son coussin, de son plat de sciure, de ses menus et... de sa facture[4], que fait de lui ma chatte ? Le même emploi que du sauvage essorillé[5] qui passe, aux champs, par le trou de la haie. Un emploi rapide, furieux et plein de mépris. Le hasard unit à des inconnus cette indifférente. De grands cris me parviennent, de guerre et d'amour, cris déchirants comme celui du grand duc[6] qui annonce l'aube. J'y reconnais la voix de ma chatte, ses insultes, ses feulements[7], qui mettent toutes choses au point et humilient le vainqueur de rencontre...

À la campagne, elle récupère une partie de sa coquetterie. Elle redevient légère, gaie, infidèle à plusieurs mâles auxquels elle se donne et se reprend sans scrupule. Je me réjouis de voir qu'elle peut encore, par moments, n'être qu'« une chatte » et non plus « la chatte », ce chaleureux, vif et poétique esprit, absorbé dans le fidèle amour qu'elle m'a voué.

Entre les murs d'un étroit jardin d'Île-de-France, elle s'ébat, elle s'abandonne. Elle se refuse aussi. L'intelligence a soustrait son corps aux communes frénésies. Elle est de glace lorsque ses pareilles brûlent. Mais elle appelait rêveusement l'amour il y a trois semaines sous des nids déjà vides, parmi les chatons nés deux mois plus tôt, et mêlait ses plaintes aux cris des mésangeaux gris. L'amour ne se le fit pas dire deux fois. Vint le vieux conquérant rayé, aux cani-

---

1. Pour Colette, les représentants de la race féline possèdent d'inaliénables qualités. Le chat est une « essence » qui sublime, transcende la diversité des incarnations. — 2. Répugnance, forte répulsion. — 3. *La Chatte* paraît en 1933. — 4. Manière dont une chose est faite. Apparence. — 5. Dont on ne voit point les oreilles. — 6. Rapace nocturne. — 7. Bruits de gorge que fait entendre un chat en colère.

nes démesurées, sec, chauve par places, mais doué d'expérience, d'une décision sans seconde [1], et respecté même de ses rivaux. Le jeune rayé le suivait de près, tout resplendissant de confiance et de sottise, large du nez, bas du front et beau comme un tigre. Sur la tuile faîtière [2] du mur parut enfin le chat de ferme, coiffé en bandeaux de deux taches grises sur fond blanc sale, avec un air mal éveillé et incrédule : « Rêvé-je ? il m'a semblé qu'on me mandait [3] d'urgence... »

Tous trois entrèrent en lice, et je peux dire qu'ils en virent de dures. La chatte eut d'abord cent mains pour les gifler, cent petites mains bleues, véloces, qui s'accrochaient aux toisons rases et à la peau qu'elles couvraient. Puis elle se roula en forme de huit. Puis elle s'assit entre les trois matous et parut les oublier longuement. Puis elle sortit de son rêve hautain pour se percher sur un pilier au chapiteau [4] effrité, d'où sa vertu défiait tous les assaillants. Quand elle daigna descendre, elle dévisagea les trois esclaves avec un étonnement enfantin, souffrit que l'un d'eux, du museau, baisât son museau ravissant et bleu. Le baiser se prolongeant, elle le rompit par un cri impérieux, une sorte d'aboiement de chat, intraduisible, mais auquel les trois mâles répondirent par un saut de recul. Sur quoi, la chatte entreprit une toilette minutieuse, et les trois ajournés se lamentèrent d'attendre. Même, ils firent mine de se battre, pour passer le temps, autour d'une chatte froide et sourde.

Enfin, renonçant aux mensonges et aux jeux, elle se fit cordiale, s'étira longuement, et, d'un pas de déesse, rejoignit le commun des mortels.

Je ne restai pas là pour savoir la suite. Encore que la grâce féline sorte indemne de tous les risques, pourquoi la soumettre à la suprême épreuve ? J'abandonnai la chatte à ses démons et retournai l'attendre au lieu qu'elle ne quitte ni de jour ni de nuit quand j'y travaille lentement et avec peine — la table où assidue, muette à miracle [5], mais résonnante d'un sourd murmure de félicité, gît, veille ou repose sous ma lampe la chatte, mon modèle, la chatte, mon amie.

---

1. L'animal réagit sans délai aucun, très promptement. — 2. Qui est placée sur le haut du mur. — 3. Donner avis ou ordre de venir. — 4. Partie supérieure du pilier. — 5. Archaïsme. Parfaitement muette.

UN RÊVE[1]

Je rêve. Fond noir enfumé de nues[2] d'un bleu très sombre, sur lequel passent des ornements géométriques auxquels manque toujours un fragment, soit du cercle parfait, soit de leurs trois angles, de leurs spirales rehaussées de feu. Fleurs flottantes sans tiges ou sans feuilles. Jardins inachevés ; partout règne l'imperfection du songe, son atmosphère de supplique[3], d'attente et d'incrédulité.

Point de personnages. — *Silence, puis un aboiement triste, étouffé.*

MOI, *en sursaut.* — Qui aboie ?

UNE CHIENNE. — Moi.

MOI. — Qui, toi ? Une chienne ?

ELLE. — Non. La chienne.

MOI. — Bien sûr, mais quelle chienne ?

ELLE, *avec un gémissement réprimé.* — Il y en a donc une autre ? Quand je n'étais pas encore l'ombre que me voici, tu ne m'appelais que « la chienne ». Je suis ta chienne morte.

MOI. — Oui... Mais... Quelle chienne morte ? Pardonne-moi...

ELLE. — Là je te pardonne, si tu devines : je suis celle qui a mérité de revenir.

MOI, *sans réfléchir.* — Ah ! je sais ! Tu es Nell, qui tremblait mortellement aux plus subtils signes de départ et de séparation, qui se couchait sur le linge blanc dans le compartiment de la malle et faisait une prière pour devenir blanche, afin que je l'emmenasse sans la voir... Ah ! Nell !... Nous avons bien mérité qu'une nuit enfin te rappelle du lieu où tu gisais...

Un silence. Les nues bleu sombre cheminent sur le fond noir.

ELLE, *d'une voix plus faible.* — Je ne suis pas Nell.

MOI, *pleine de remords.* — Oh ! je t'ai blessée ?

ELLE. — Pas beaucoup. Bien moins qu'autrefois, quand

---

1. La nouvelle paraît dans *Le Jardin des bêtes*, le 2 décembre 1933. — **2.** Vieilli : nuages. — **3.** Prière insistante.

d'une parole, d'un regard, tu me consternais... Et puis, tu ne m'as peut-être pas bien entendue : je suis la chienne, te dis-je...

MOI, *éclairée soudain.* — Oui ! Mais oui ! la chienne ! Où avais-je la tête ? Celle de qui je disais, en entrant : « La chienne est là ? » Comme si tu n'avais pas d'autre nom, comme si tu ne t'appelais pas Lola[1]... La chienne qui voyageait avec moi toujours, qui savait de naissance[2] comment se comporter en wagon, à l'hôtel, dans une sordide loge de music-hall... Ton museau fin tourné vers la porte, tu m'attendais... Tu maigrissais de m'attendre... Donne-le, ton museau fin que je ne peux pas voir ! Donne que je le touche, je reconnaîtrais ton pelage entre cent autres... *(Un long silence. Quelques-unes des fleurs sans tige ou sans feuilles s'éteignent.)* Où es-tu ? Reste ! Lola...

ELLE, *d'une voix à peine distincte.* — Hélas !... Je ne suis pas Lola !

MOI, *baissant aussi la voix.* — Tu pleures ?

ELLE, *de même.* — Non. Dans le lieu sans couleur où je n'ai pas cessé de t'attendre, c'en est fini pour moi des larmes, tu sais, ces larmes pareilles aux pleurs humains, et qui tremblaient sur mes yeux couleur d'or...

MOI, *l'interrompant.* — D'or ? Attends ! D'or, cerclés d'or plus sombre, et pailletés...

ELLE, *avec douceur.* — Non, arrête-toi, tu vas encore me nommer d'un nom que je n'ai jamais entendu. Et peut-être qu'au loin des ombres de chiennes couchées tressailliraient de jalousie, se lèveraient, gratteraient le bas d'une porte qui ne s'ouvre pas cette nuit pour elles. Ne me cherche plus. Tu ne sauras jamais pourquoi j'ai mérité de revenir. Ne tâtonne pas, de ta main endormie, dans l'air noir et bleu qui me baigne, tu ne rencontreras pas ma robe...

MOI, *anxieuse.* — Ta robe... couleur de froment ?

ELLE. — Chut ! Je n'ai plus de robe. Je ne suis qu'une

---

1. La chienne Lola est évoquée dans *L'Envers du music-hall*, elle partage l'intimité de Colette aux environs de 1910 : « Elle était si blanche que ma loge sordide s'éclairait. Un long, long corps de lévrier blanc de neige, — la nuque, les coudes, les cuisses et la queue hérissés d'un argent fin, d'un flottant poil brillant comme du fil de verre » (« Lola »). — 2. Qui savait instinctivement, sans jamais avoir appris.

ligne, un trait sinueux de phosphore [1], une palpitation, une plainte perdue, une quêteuse que la mort n'a pas mise en repos, le reliquat [2] gémissant, enfin, de la chienne entre les chiennes, de la chienne...

MOI, *criant.* — Reste ! Je sais ! Tu es...

Mais mon cri m'éveille, dissout le bleu et le noir insondables, les jardins inachevés, crée l'aurore et éparpille, oubliées, les syllabes du nom que porta sur la terre, parmi les ingrats, la chienne qui mérita de revenir, la chienne...

NONOCHE [3]

Le soleil descend derrière les sorbiers [4], grappés de fruits [5] verts qui tournent çà et là au rose aigre. Le jardin se remet lentement d'une longue journée de chaleur, dont les molles feuilles du tabac demeurent évanouies. Le bleu des aconits [6] a certainement pâli depuis ce matin, mais les reines-claudes, vertes hier sous leur poudre d'argent, ont toutes, ce soir, une joue d'ambre [7].

L'ombre des pigeons tournoie, énorme, sur le mur tiède de la maison et éveille, d'un coup d'éventail, Nonoche qui dormait dans sa corbeille...

Son poil a senti passer l'ombre d'un oiseau ! Elle ne sait pas bien ce qui lui arrive. Elle a ouvert trop vite ses yeux japonais [8], d'un vert qui met l'eau sous la langue. Elle a l'air bête comme une jeune fille très jolie, et ses taches de chatte portugaise [9] semblent plus en désordre que jamais : un rond orange sur la joue, un bandeau noir sur la tempe, trois points noirs au coin de la bouche, près du nez blanc

---

1. L'image évoque la brièveté, l'intensité lumineuse de la vision. — **2.** Ce qui subsiste de quelque chose. — **3.** La nouvelle paraît en 1908, dans l'édition originale des *Vrilles.* — **4.** Variété d'arbres. — **5.** Ornés de fruits en grappes. — **6.** Cf. note 4, p 30. — **7.** La chair des prunes est d'une couleur jaune-doré rougeâtre, comparable à celle de l'ambre qui est une résine sédimentée. — **8.** Très fendus. — **9.** Sa robe comporte trois couleurs, jaune, noir et blanc. « La chatte portugaise » est le surnom que donna Colette à son ami Jean Lorrain, en raison de sa curieuse chevelure tricolore *(Mes apprentissages).*

fleuri de rose... Elle baisse les yeux et la mémoire de toutes choses lui remonte au visage dans un sourire triangulaire ; contre elle, noyé en elle, roulé en escargot, sommeille son fils.

« Qu'il est beau ! se dit-elle. Et gros ! Aucun de mes enfants n'a été si beau. D'ailleurs je ne me souviens plus d'eux... Il me tient chaud. »

Elle s'écarte, creuse le ventre avant de se lever, pour que son fils ne s'éveille pas. Puis elle bombe un dos de dromadaire, s'assied et bâille, en montrant les stries fines d'un palais trois fois taché de noir.

En dépit de nombreuses maternités, Nonoche conserve un air enfantin qui trompe sur son âge. Sa beauté solide restera longtemps jeune, et rien dans sa démarche, dans sa taille svelte et plate, ne révèle qu'elle fut, en quatre portées, dix-huit fois mère. Assise, elle gonfle un jabot éclatant, coloré d'orange, de noir et de blanc comme un plumage d'oiseau rare. L'extrémité de son poil court et fourni brille, s'irise au soleil comme fait l'hermine[1]. Ses oreilles, un peu longues, ajoutent à l'étonnement gracieux de ses yeux inclinés et ses pattes minces, armées de brèves griffes en cimeterre[2], savent fondre confiantes dans la main amie.

Futile, rêveuse, passionnée, gourmande, caressante, autoritaire, Nonoche rebute le profane et se donne aux seuls initiés qu'a marqués le signe du Chat. Ceux-là même ne la comprennent pas tout de suite et disent : « Quelle bête capricieuse ! » Caprice ? point. Hyperesthésie[3] nerveuse seulement. La joie de Nonoche est tout près des larmes, et il n'y a guère de folle partie de ficelle ou de balle de laine qui ne finisse en petite crise hystérique, avec morsures, griffes et feulements[4] rauques. Mais cette même crise cède sous une caresse bien placée, et parce qu'une main adroite aura effleuré ses petites mamelles sensibles, Nonoche furibonde s'effondrera sur le flanc, plus molle qu'une peau de lapin, toute trépidante d'un ronron cristallin qu'elle file trop aigu et qui parfois la fait tousser. .

---

1. La fourrure très dense de ce petit animal est fort brillante et lustrée. — 2. Sabre oriental dont la lame courbe s'élargit à l'extrémité. — 3. Sensibilité excessive et par là même douloureuse. — 4. Cf. note 7, p. 48.

« Qu'il est beau ! » se dit-elle en contemplant son fils. « La corbeille devient trop petite pour nous deux. C'est un peu ridicule, un enfant si grand qui tête encore. Il tête avec des dents pointues maintenant... Il sait boire à la soucoupe, il sait rugir à l'odeur de la viande crue, il gratte à mon exemple la sciure du plat, d'une manière anxieuse et précipitée où je me retrouve toute... Je ne vois plus rien à faire pour lui, sauf de le sevrer. Comme il abîme ma troisième mamelle de droite ! C'est une pitié. Le poil de mon ventre, tout autour, ressemble à un champ de seigle versé[1] sous la pluie ! Mais quoi ? quand ce grand petit se jette sur mon ventre, les yeux clos comme un nouveau-né, quand il arrange en gouttière autour de la tétine sa langue devenue trop large... qu'il me pille et me morde et me boive, je n'ai pas la force de l'en empêcher ! »

Le fils de Nonoche dort dans sa robe rayée, pattes mortes et gorge à la renverse. On peut voir sous la lèvre relevée un bout de langue, rouge d'avoir tété, et quatre petites dents très dures, taillées dans un silex transparent.

Nonoche soupire, bâille et enjambe son fils avec précaution pour sortir de la corbeille. La tiédeur du perron est agréable aux pattes. Une libellule grésille dans l'air, et ses ailes de gaze[2] rêche frôlent par bravade les oreilles de Nonoche qui frémit, fronce les sourcils et menace du regard la bête au long corps en mosaïque de turquoises...

Les montagnes bleuissent. Le fond de la vallée s'enfume d'un brouillard blanc qui s'effile, se balance et s'étale comme une onde. Une haleine fraîche monte déjà de ce lac impalpable, et le nez de Nonoche s'avive et s'humecte[3]. Au loin, une voix connue crie infatigablement, aiguë et monotone : « Allons-v'nez — allons-v'nez — allons-v'nez... mes vaches ! Allons-v'nez — allons-v'nez... » Des clarines[4] sonnent, le vent porte une paisible odeur d'étable, et Nonoche pense au seau de la traite, au seau vide dont elle léchera la couronne d'écume collée aux bords... Un miaulement de convoitise et de désœuvrement lui échappe. Elle s'ennuie. Depuis quelque temps, chaque cré-

---

1. Le seigle est couché sur le sol, abîmé par les pluies et le vent. — 2. Tissu très fin et très léger, à l'aspect presque transparent. — 3. Rendre humide. — 4. Clochette qu'on pend au cou des animaux quand on les fait paître dans les prairies.

puscule ramène cette mélancolie agacée, ce vide et vague désir... Un peu de toilette ? « Comme je suis faite ! » Et la cuisse en l'air, Nonoche copie cette classique figure de chahut [1] qu'on appelle « le port d'armes ».

La première chauve-souris nage en zigzag dans l'air. Elle vole bas et Nonoche peut distinguer deux yeux de rat, le velours roux du ventre en figue [2]... C'est encore une de ces bêtes où on ne comprend rien et dont la conformation [3] inspire une inquiétude méprisante. Par association d'idées, Nonoche pense au hérisson, à la tortue, ces énigmes, et passe sur son oreille une patte humide de salive, insoucieuse de présager la pluie pour demain [4].

Mais quelque chose arrête court son geste, quelque chose oriente en avant ses oreilles, noircit le vert acide de ses prunelles...

Du fond du bois où la nuit massive est descendue d'un bloc, par-dessus l'or immobile des treilles [5], à travers tous les bruits familiers, n'a-t-elle pas entendu venir jusqu'à elle, traînant, sauvage, musical, insidieux — l'Appel du Matou ?

Elle écoute... Plus rien. Elle s'est trompée... Non ! L'appel retentit de nouveau, lointain, rauque et mélancolique à faire pleurer, reconnaissable entre tous. Le cou tendu, Nonoche semble une statue de chatte, et ses moustaches seules remuent faiblement, au battement de ses narines. D'où vient-il, le tentateur ? Qu'ose-t-il demander et promettre ? Il multiplie ses appels, il les module, se fait tendre, menaçant, il se rapproche et pourtant reste invisible ; sa voix s'exhale [6] du bois noir, comme la voix même de l'ombre...

« Viens !... Viens !... Si tu ne viens pas ton repos est perdu. Cette heure-ci n'est que la première, mais songe que toutes les heures qui suivront seront pareilles à celle-ci, emplies de ma voix, messagères de mon désir... Viens !

« Tu le sais, tu le sais que je puis me lamenter durant des nuits

---

1. Le chahut désigne toute danse désordonnée faite de sauts comiques, de contorsions bizarres, ou de gestes indécents. Le passage évoque peut-être discrètement les jeux de scène de Colette et Missy sur les planches du Moulin Rouge. — 2. Le ventre a la forme et la couleur brun-violacé de la figue. — 3. Forme du corps. — 4. Ce geste de la toilette du chat est supposé annoncer une pluie prochaine. — 5. Berceaux faits de ceps de vigne soutenus par un treillage. — 6. S'échappe.

entières, que je ne boirai plus, que je ne mangerai plus, car mon désir suffit à ma vie et je me fortifie d'amour !... Viens !...

« Tu ne connais pas mon visage et qu'importe ! Avec orgueil, je t'apprends qui je suis : je suis le long Matou déguenillé[1] par dix étés, durci par dix hivers. Une de mes pattes boite en souvenir d'une vieille blessure, mes narines balafrées grimacent et je n'ai plus qu'une oreille, festonnée[2] par la dent de mes rivaux.

« À force de coucher sur la terre, la terre m'a donné sa couleur. J'ai tant rôdé que mes pattes semellées[3] de corne sonnent sur le sentier comme le sabot du chevreuil. Je marche à la manière des loups, le train de derrière bas, suivi d'un tronçon de queue presque chauve... Mes flancs vides se touchent et ma peau glisse autour de mes muscles secs, entraînés au rapt et au viol... Et toute cette laideur me fait pareil à l'Amour[4] Viens !... Quand je paraîtrai à tes yeux, tu ne reconnaîtras rien de moi — que l'Amour !

« Mes dents courberont ta nuque rétive[5], je souillerai ta robe, je t'infligerai autant de morsures que de caresses, j'abolirai en toi le souvenir de ta demeure et tu seras, pendant des jours et des nuits, ma sauvage compagne hurlante... jusqu'à l'heure plus noire où tu te retrouveras seule, car j'aurai fui mystérieusement, las de toi, appelé par celle que je ne connais pas, celle que je n'ai pas possédée encore... Alors tu retourneras vers ton gîte, affamée, humble, vêtue de boue, les yeux pâles, l'échine creusée comme si ton fruit y pesait déjà, et tu te réfugieras dans un long sommeil tressaillant de rêves où ressuscitera notre amour... Viens !... »

Nonoche écoute. Rien dans son attitude ne décèle qu'elle lutte contre elle-même, car le tentateur pourrait la voir à travers l'ombre, et le mensonge est la première parure d'une amoureuse... Elle écoute, rien de plus...

Dans sa corbeille, l'obscurité éveille peu à peu son fils qui se déroule, chenille velue, et tend des pattes tâtonnantes... Il se dresse, maladroit, s'assied plus large que haut,

---

1. Vêtu de guenilles. La robe du matou est probablement fort abîmée, élimée par endroits. — **2.** Bordée de découpures arrondies. — **3.** La corne épaisse et dure forme une semelle sous la patte du chat. — **4.** Le vieux matou est une ironique allégorie de l'amour. — **5.** Qui refuse de se laisser diriger, de se soumettre.

avec une majesté puérile. Le bleu hésitant de ses yeux, qui seront peut-être verts, peut-être vieil or[1], se trouble d'inquiétude. Il dilate, pour mieux crier, son nez chamois[2] où aboutissent toutes les rayures convergentes de son visage... Mais il se tait, malicieux et rassuré : il a vu le dos bigarré[3] de sa mère, assise sur le perron.

Debout sur ses quatre pattes courtaudes, fidèle à la tradition qui lui enseigna cette danse barbare, il s'approche les oreilles renversées, le dos bossu, l'épaule de biais, par petits bonds de joujou terrible, et fond sur Nonoche qui ne s'y attendait pas... La bonne farce ! Elle en a presque crié. On va sûrement jouer comme des fous jusqu'au dîner.

Mais un revers de patte nerveux a jeté l'assaillant au bas du perron, et maintenant une grêle de tapes sèches s'abat sur lui, commentées de fauves crachements et de regards en furie !... La tête bourdonnante, poudré de sable, le fils de Nonoche se relève, si étonné qu'il n'ose pas demander pourquoi, ni suivre celle qui ne sera plus jamais sa nourrice et qui s'en va très digne, le long de la petite allée noire, vers le bois hanté...

TOBY-CHIEN PARLE[4]

Un petit intérieur tranquille. À la cantonade[5], bruits de cataclysme[6]. Kiki-la-Doucette, chat des chartreux[7], se cramponne vainement à un somme illusoire. Une porte

---

1. D'un or foncé, orangé. — **2.** Couleur chamois, jaune clair. — **3.** Qui présente des couleurs et des dessins variés. — **4.** Le dialogue paraît dans *La Vie parisienne*, le 27 avril 1907. Dans l'édition des *Vrilles* de 1908, il est dédicacé « À miss Meg V. », à Meg Villars, maîtresse, puis épouse de Willy. Meg et Colette entretinrent toutefois des relations plutôt amicales. Toby-Chien et Kiki-la-Doucette sont les héros de *Dialogue de bête*. Kiki est le surnom donné par Charlotte Kinceler à son « ami » Willy. « Lotte, découragée, en appelait à Monsieur Willy, qu'elle nommait familièrement Kiki... » *(Mes apprentissages)*. La-Doucette serait si l'on en croit Jean de Tinan un tendre surnom attribué par Colette à Willy : « Elle l'appelle : Le doux maître, Le gros chat, La-Doucette. » — **5.** Locution qui désigne un lieu voisin et invisible. — **6.** Cf. p. 64 : « Tu as entendu la porte ; le tisonnier qu'elle a jeté dans la corbeille... » — **7.** Chat d'un gris bleuâtre.

s'ouvre et claque sous une main invisible, après avoir livré passage à Toby-Chien, petit bull démoralisé.

KIKI-LA-DOUCETTE, *s'étirant*. — Ah ! ah ! qu'est-ce que tu as encore fait ?

TOBY-CHIEN, *piteux*. — Rien.

KIKI-LA-DOUCETTE. — À d'autres ! Avec cette tête-là ? Et ces rumeurs de catastrophe ?

TOBY-CHIEN. — Rien, te dis-je ! Plût au Ciel ! Tu me croiras si tu veux, mais je préférerais avoir cassé un vase, ou mangé le petit tapis persan auquel Elle tient si fort. Je ne comprends pas. Je tâtonne dans les ténèbres. Je...

KIKI-LA-DOUCETTE, *royal*. — Cœur faible ! Regarde-moi. Comme du haut d'un astre, je considère ce bas monde. Imite ma sérénité divine...

TOBY-CHIEN, *interrompant, ironique*. —... et enferme-toi dans le cercle magique de ta queue, n'est-ce pas ? Je n'ai pas de queue, moi, ou si peu ! Et jamais je ne me sentis le derrière si serré.

KIKI-LA-DOUCETTE, *intéressé, mais qui feint l'indifférence*. — Raconte.

TOBY-CHIEN. — Voilà. Nous étions bien tranquilles, Elle et moi, dans le cabinet de travail. Elle lisait des lettres, des journaux, et ces rognures [1] collées qu'Elle nomme pompeusement l'Argus de la Presse [2], quand tout à coup : « Zut ! s'écria-t-Elle. Et même crotte de bique ! » Et sous son poing asséné la table vibra, les papiers volèrent... Elle se leva, marcha de la fenêtre à la porte, se mordit un doigt, se gratta la tête, se frotta rudement le bout du nez.

J'avais soulevé du front le tapis de la table et mon regard cherchait le sien... « Ah ! te voilà », ricana-t-Elle. « Naturellement, te voilà. Tu as le sens des situations. C'est bien le moment de te coiffer à l'oriental [3] avec une draperie turque sur le crâne et des franges-boule [4] qui retombent, des

---

1. Désignation péjorative des morceaux de journaux découpés. — 2. Société créée en 1879 qui dépouille la presse concernant les activités de ses abonnés (entreprises, sociétés, artistes), et établit des dossiers d'information. — 3. La peau du chien bull fait naturellement des plis sur le front, comme si ce front était enrubanné, orné d'un turban. — 4. Sorte de frange à pompons qui file la métaphore de la draperie turque.

franges-boule — des franges-bull, parbleu ! Ce chien fait des calembours[1], à présent ! il ne me manquait que ça ! » D'une chiquenaude[2], Elle rejeta le bord du tapis qui me coiffait, puis leva vers le plafond des bras pathétiques : « J'en ai assez ! » s'écria-t-Elle. « Je veux... je veux... je veux faire ce que je veux ! »

Un silence effrayant suivit son cri, mais je lui répondais du fond de mon âme : « Qui T'en empêche, ô Toi qui règnes sur ma vie, Toi qui peux presque tout, Toi qui, d'un plissement volontaire de tes sourcils, rapproches dans le ciel les nuages ? »

Elle sembla m'entendre et repartit un peu plus calme : « Je veux faire ce que je veux. Je veux jouer la pantomime[3], même la comédie. Je veux danser nue, si le maillot me gêne et humilie ma plastique. Je veux me retirer dans une île, s'il me plaît, ou fréquenter des dames qui vivent de leurs charmes, pourvu qu'elles soient gaies, fantasques, voire mélancoliques et sages, comme sont beaucoup de femmes de joie. Je veux écrire des livres tristes et chastes[4], où il n'y aura que des paysages, des fleurs, du chagrin, de la fierté, et la candeur des animaux charmants qui s'effraient de l'homme... Je veux sourire à tous les visages aimables, et m'écarter des gens laids, sales et qui sentent mauvais. Je veux chérir qui m'aime et lui donner tout ce qui est à moi dans le monde : mon corps rebelle au partage, mon cœur si doux et ma liberté ! Je veux... je veux !... Je crois bien que si quelqu'un, ce soir, se risquait à me dire : "Mais, enfin, ma chère..." eh bien, je le tue... Ou je lui ôte un œil. Ou je le mets dans la cave.

KIKI-LA-DOUCETTE, *pour lui-même*. — Dans la cave ? Je considérerais cela comme une récompense, car la cave est un enviable séjour, d'une obscurité bleutée par le soupirail, embaumé[5] de paille moisie et de l'odeur alliacée[6] du rat...

TOBY-CHIEN, *sans entendre*. — « J'en ai assez, vous dis-

---

1. Jeu d'esprit fondé ici sur des mots de prononciations rapprochées, mais de sens différents (boule-bull). Les calembours sont une spécialité de Willy. — 2. Léger coup donné avec un doigt replié puis relâché brusquement. — 3. Art de représenter par des gestes les sentiments de tous les personnages d'une pièce. — 4. Où ne se rencontre aucun amour illicite. — 5. Cf. note 3, p. 46. — 6. Qui évoque l'ail.

je ! » (Elle criait cela à des personnes invisibles, et moi, pauvre moi, je tremblais sous la table.) « Et je ne verrai plus ces tortues-là ! »

KIKI-LA-DOUCETTE. — Ces... quoi ?

TOBY-CHIEN. — Ces tortues[1]-là ; je suis sûr du mot. Quelles tortues ? Elle nous cache tant de choses ! « ... Ces tortues-là ! Elles sont deux, trois, quatre — joli nid de fauvettes[2] ! — pendues à Lui, et qui Lui roucoulent et Lui écrivent : "Mon chéri, tu m'épouseras si Elle meurt, dis ?" Je crois bien ! Il les épouse déjà, l'une après l'autre. Il pourrait choisir. Il préfère collectionner. Il lui faut — car elles en demandent ! — la Femme-du-Monde couperosée[3] qui s'occupe de musique et qui fait des fautes d'orthographe, la vierge mûre qui lui écrit, d'une main paisible de comptable, les mille z'horreurs ; — l'Américaine brune aux cuisses plates ; — et toute la séquelle[4] des sacrées petites toquées[5] en cols plats et cheveux courts qui s'en viennent, cils baissés et reins frétillants : "Ô Monsieur, c'est moi qui suis la vraie Claudine[6]..." La vraie Claudine ! et la fausse mineure, tu parles !

« Toutes, elles souhaitent ma mort, m'inventent des amants ; elles l'entourent de leur ronde effrénée, Lui faible, lui, volage et amoureux de l'amour qu'Il inspire, Lui qui goûte si fort ce jeu de se sentir empêtré dans cent petits doigts crochus de femmes... Il a délivré en chacune la petite bête mauvaise et sans scrupule, matée[7] — si peu ! — par l'éducation ; elles ont menti, forniqué[8], cocufié, avec une

---

1. L'ambiguïté est maintenue entre l'adjectif tortu / tortueux — qui désigne le manque de franchise — et le substantif tortue. La narratrice poursuit « l'animalisation » de ses rivales. — 2. Oiseau de petite taille, au chant agréable. Désigne métaphoriquement une personne délicate. Le substantif est employé ici par antiphrase toujours afin de ravaler au rang animal les femmes en question. — 3. La joue rougie disgracieusement par une imperfection de la peau. — 4. Terme vieilli, désigne une kyrielle, une série de personnes ou de choses. — 5. Un peu folles. — 6. Colette fait ici allusion à la vie du couple Gauthier-Villars : « Lettres, portraits de mineures à cols blancs et chaussettes glissaient de toutes les poches de celui qui se fit appeler "le père de Claudine". Ces funestes adolescentes refluaient jusqu'à un domicile que je ne m'obstinerai pas à appeler conjugal. » *(Mes apprentissages.)* — 7. Soumise, polie par l'éducation. — 8. Du verbe forniquer : avoir des relations charnelles.

joie et une fureur de harpies [1], autant par haine de moi que pour l'amour de Lui...

« Alors... adieu tout ! adieu... presque tout. Je Le leur laisse. Peut-être qu'un jour Il les verra comme je les vois, avec leurs visages de petites truies gloutonnes. Il s'enfuira, effrayé, frémissant, dégoûté d'un vice inutile... »

Je haletais autant qu'Elle, ému de sa violence. Elle entendit ma respiration et se jeta à quatre pattes, sa tête sous le tapis de la table, contre la mienne...

« Oui, inutile ! je maintiens le mot. Ce n'est pas un petit bull carré qui me fera changer d'avis, encore ! Inutile s'Il n'aime pas assez ou s'Il méconnaît l'amour véritable ! Quoi ?... ma vie aussi est inutile ? Non, Toby-Chien. Moi, j'aime. J'aime tant tout ce que j'aime ! Si tu savais comme j'embellis tout ce que j'aime, et quel plaisir je me donne en aimant ! Si tu pouvais comprendre de quelle force et de quelle défaillance m'emplit ce que j'aime !... C'est cela que je nomme le frôlement du bonheur. Le frôlement du bonheur... caresse impalpable qui creuse le long de mon dos un sillon velouté, comme le bout d'une aile creuse l'onde... Frisson mystérieux prêt à se fondre en larmes, angoisse légère que je cherche et qui m'atteint devant un cher paysage argenté de brouillard, devant un ciel où fleurit l'aube, sous le bois où l'automne souffle une haleine mûre et musquée [2]... Tristesse voluptueuse des fins de jour, bondissement sans cause d'un cœur plus mobile que celui du chevreuil, tu es le frôlement même du bonheur, toi qui gis [3] au sein des heures les plus pleines... et jusqu'au fond du regard de ma sûre amie...

« Tu oserais dire ma vie *inutile* ?... Tu n'auras pas de pâtée, ce soir ! »

Je voyais la brume de ses cheveux danser autour de sa tête qu'Elle hochait furieusement. Elle était comme moi à quatre pattes, aplatie, comme un chien qui va s'élancer, et j'espérai un peu qu'elle aboierait...

KIKI-LA-DOUCETTE, *révolté*. — Aboyer, Elle ! Elle a ses

---

1. Terme vieilli : personnes avides et rapaces, voire méchantes. — 2. Dotée de l'odeur forte et pénétrante du musc. — 3. Cf. note 3, p. 36.

défauts, mais tout de même, aboyer !... Si Elle devait parler en quatre-pattes, elle miaulerait.

TOBY-CHIEN, *poursuivant*. — Elle n'aboya point, en effet. Elle se redressa d'un bond, rejeta en arrière les cheveux qui lui balayaient le visage...

KIKI-LA-DOUCETTE. — Oui, Elle a la tête angora. La tête seulement.

TOBY-CHIEN. —... Et Elle se remit à parler, incohérente : « Alors, voilà ! je veux faire ce que je veux. Je ne porterai pas des manches courtes en hiver, ni de cols hauts en été. Je ne mettrai pas mes chapeaux sens devant derrière [1], et je n'irai plus prendre le thé chez Rimmels's, non... Redelsperger, non... Chose [2], enfin. Et je n'irai plus aux vernissages [3]. Parce qu'on y marche dans un tas de gens, l'après-midi, et que les matins y sont sinistres, sous ces voûtes où frissonne un peuple nu et transi de statues, parmi l'odeur de cave et de plâtre frais... C'est l'heure où quelques femmes y toussent, vêtues de robes minces, et de rares hommes errent, avec la mine verte d'avoir passé la nuit là, sans gîte et sans lit...

« Et le monotone public des premières [4] ne verra plus mon sourire abattu, mes yeux qui se creusent de la longueur des entractes et de l'effort qu'il faut pour empêcher mon visage de vieillir [5] — effort reflété par cent visages féminins, raidis de fatigue et d'orgueil défensif... Tu m'entends », s'écria-t-Elle, « tu m'entends, crapaud bringé [6], excessif petit bull cardiaque ! je n'irai plus aux premières, — sinon de l'autre côté de la rampe. Car je danserai encore sur la scène, je danserai nue ou habillée, pour le seul plaisir de danser, d'accorder mes gestes au rythme de la musique, de virer, brûlée de lumière, aveuglée comme une mouche

---

1. Les chapeaux impossibles ne sont qu'un exemple des nombreuses tortures imposées aux élégantes. Colette évoque leurs douleurs dans « Le martyrologue » des *Contes des mille et un matins*. — 2. Les hésitations de Toby le font tourner sans succès autour du nom d'un vrai salon de thé alors à la mode : le salon Rumpelmeyer situé rue de Rivoli. — 3. Inauguration privée d'une exposition de peinture, avant l'ouverture au public. — 4. Dans le domaine du théâtre, première représentation publique. — 5. Colette a 34 ans lorsqu'elle écrit « Toby-Chien parle ». L'obsession de l'âge qui ne la quitte jamais, se devine également dans « Maquillages ». — 6. Nom d'une robe bai-clair, zébrée irrégulièrement de brun ou de noir.

dans un rayon... Je danserai, j'inventerai de belles danses
lentes où le voile parfois me couvrira, parfois m'environ-
nera comme une spirale de fumée, parfois se tendra derrière
ma course comme la toile d'une barque... Je serai la statue,
le vase animé, la bête bondissante, l'arbre balancé, l'esclave ivre...

« Qui donc a osé murmurer, trop près de mon oreille
irritable, les mots de déchéance, d'avilissement ?... Toby-
Chien, Chien de bon sens, écoute bien : je ne me suis
jamais sentie plus digne de moi-même ! Du fond de la
sévère retraite que je me suis faite au fond de moi, il m'arrive de rire tout haut, réveillée par la voix cordiale d'un
maître de ballet italien [1] : "Hé, ma minionne, qu'est-ce que
tu penses ? je te dis : sauts de basque [2], deux ! et un petit
pour finir !..."

« La familiarité professionnelle de ce luisant méridional
ne me blesse point, ni l'amicale veulerie [3] d'une pauvre petite
marcheuse [4] à cinquante francs par mois, qui se lamente, rési-
gnée : "Nous autres artistes, n'est-ce pas, on ne fait pas toujours comme on veut..." et si le régisseur tourne vers moi, au
cours d'une répétition, son mufle de dogue bonasse [5], en
graillonnant [6] : "C'est malheureux que vous ne pouvez pas
taire vos gueules, tous...", je ne songe pas à me fâcher, pourvu
qu'au retour, lorsque je jette à la volée mon chapeau sur le lit,
une voix chère, un peu voilée, murmure : "Vous n'êtes pas
trop fatiguée, mon amour ?..." »

Sa voix à Elle avait molli sur ces mots. Elle répéta,
comme pour Elle-même, avec un sourire contenu : « Vous
n'êtes pas trop fatiguée, mon amour ? » puis soudain éclata
en larmes nerveuses, des larmes vives, rondes, pressées, en
gouttes étincelantes qui sautaient sur ses joues, joyeuse-
ment... Mais moi, tu sais, quand Elle pleure, je sens la vie
me quitter...

KIKI-LA-DOUCETTE. — Je sais, tu t'es mis à hurler ?

TOBY-CHIEN, évasif. — À hurler, non... Je mêlai mes lar-

---

1. En 1907, Colette joue toujours la pantomime avec son maître et partenaire
Georges Wague. — 2. Pas de danse, saut perdant lequel on tourne sur soi-
même. — 3. Lâcheté. — 4. Dans les ballets, femme qui ne sachant ni chanter
ni danser, figure sur scène dans toutes sortes de costumes. — 5. Qui a une bonté
trop simple. — 6. Parlant d'une voix rauque, enrouée.

mes aux siennes, voilà tout. Mal m'en prit ! Elle me saisit par la peau du dos, comme une petite valise carrée, et de froides injures tombèrent sur ma tête innocente : « Mal élevé. Chien hystérique. Saucisson larmoyeur. Crapaud à cœur de veau. Phoque obtus[1]... » Tu sais le reste. Tu as entendu la porte ; le tisonnier qu'elle a jeté dans la corbeille à papiers, et le seau à charbon qui a roulé béant, et tout...

KIKI-LA-DOUCETTE. — J'ai entendu. J'ai même entendu, ô Chien, ce qui n'est pas parvenu à ton entendement de bull simplet. Ne cherche pas. Elle et moi, nous dédaignons le plus souvent de nous expliquer. Il m'arrive, lorsqu'une main inexperte me caresse à rebours, d'interrompre un paisible et sincère ronron par un khh ! féroce, suivi d'un coup de griffe foudroyant comme une étincelle... « Que ce chat est traître ! » s'écrie l'imbécile... Il n'a vu que la griffe, il n'a pas deviné l'exaspération nerveuse, ni la souffrance aiguë qui lancine[2] la peau de mon dos... Quand Elle agit follement, Elle, ne dis pas, en haussant tes épaules carrées : « Elle est folle ! » Plutôt, cherche la main maladroite, la piqûre insupportable et cachée qui se manifeste en cris, en rires, en course aveugle vers tous les risques...

DIALOGUE DE BÊTES[3]

À la campagne, l'été. Elle somnole, sur une chaise longue de rotin. Ses deux amis, Toby-Chien le bull, Kiki-la-Doucette le chat, jonchent le sable...

TOBY-CHIEN, *bâillant.* — Aaah !... ah !...
KIKI-LA-DOUCETTE, *réveillé.* — Quoi ?

---

1. L'adjectif désigne le physique du petit chien qui à l'instar du phoque a une petite tête très ronde, mais sans doute également son manque de finesse, de subtilité intellectuelle, par opposition à la subtilité du chat. — **2.** Qui se fait sentir par élancements intermittents. — **3.** Le dialogue paraît le 6 juillet 1907 sous le titre « Toby-Chien au théâtre », dans *La Vie parisienne*. Dans l'édition originale, il est dédicacé à Sacha Guitry.

TOBY-CHIEN. — Rien. Je ne sais pas ce que j'ai. Je bâille.

KIKI-LA-DOUCETTE. — Mal à l'estomac ?

TOBY-CHIEN. — Non. Depuis une semaine que nous sommes ici, il me manque quelque chose. Je crois que je n'aime plus la campagne.

KIKI-LA-DOUCETTE. — Tu n'as jamais aimé réellement la campagne. Asnières et Bois-Colombes bornent tes désirs ruraux. Tu es né banlieusard.

TOBY-CHIEN, *qui n'écoute pas.* — L'oisiveté me pèse. Je voudrais travailler !

KIKI-LA-DOUCETTE, *continuant.* —... Banlieusard, dis-je, et mégalomane [1]. Travailler ! Ô Phtah [2], tu l'entends, ce chien inutile. Travailler !

TOBY-CHIEN, *noble.* — Tu peux rire. Pendant six semaines, j'ai gagné ma vie, aux Folies-Élyséennes [3], avec Elle.

KIKI-LA-DOUCETTE. — Elle... c'est différent. Elle fait ce qui lui plaît. Elle est têtue, dispersée, extravagante... Mais toi ! Toi le brouillon, l'indécis, toi, le happeur de vide, le...

TOBY-CHIEN, *théâtral.* — Vous n'avez pas autre chose à me dire [4] ?

KIKI-LA-DOUCETTE, *qui ignore Rostand [5].* — Si, certainement !

TOBY-CHIEN, *rogue.* — Eh bien, rentre-le [6]. Et laisse-moi tout à mon cuisant regret, à mes aspirations vers une vie active, vers ma vie du mois passé. Ah ! les belles soirées ! ah ! mes succès ! ah ! l'odeur du sous-sol aux Folies-Élyséennes ! Cette longue cave divisée en cabines exiguës, comme un rayon de ruche laborieuse et peuplée de mille

---

1. Qui a une trop haute conception de soi et le goût du grandiose. — 2. Dieu égyptien assimilé à Osiris. Depuis les années 1880, l'Égypte est à la mode, cependant, il ne semble pas que Phtah, le dieu de Memphis, ait eu une tête de chat. Ici, il ne s'agit peut-être que d'une onomatopée originale. — 3. Invention de Colette, le nom est composé à l'exemple des Folies-Bergères, des Folies-Marigny... Colette, pour les avoir fréquentés, comme artiste, connaît bien les music-halls parisiens. — 4. Allusion à la scène du duel dans *Cyrano de Bergerac*, pièce d'Edmond Rostand, jouée pour la première fois en 1897. — 5. Le passage auquel songe Toby-Chien se situe au début de la pièce : en réponse à la piètre insulte d'un vicomte, Cyrano l'encourage à poursuivre dans la même voix : « C'est tout ? [...] C'est un peu court jeune homme... » — 6. Sous-entendu « rentre ce propos dans ta gorge », à savoir : « ne dis rien ».

petites ouvrières qui se hâtent, en travesti[1] bleu brodé d'or, un dard[2] inoffensif au flanc, coiffées de plumes écumeuses... Je revois encore, éblouissant, ce tableau de l'Entente cordiale[3] où défilait une armée de généraux aux cuisses rondes... Hélas, hélas...

KIKI-LA-DOUCETTE, *à part*. — Toby-Chien, c'est le Brichanteau[4] du music-hall.

TOBY-CHIEN, *qui s'attendrit*. — C'est à cette heure émouvante du défilé que nous arrivions, Elle et moi. Elle s'enfermait, abeille pressée, dans sa cellule, et commençait de se peindre le visage afin de ressembler aux beaux petits généraux qui, au-dessus de nos têtes, martelaient la scène d'un talon indécis. J'attendais. J'attendais que, gainée[5] d'un maillot couleur de hanneton doré, Elle rouvrît sa cellule[6] sur le fiévreux corridor...

Couché sur mon coussin, je haletais un peu, en écoutant le bruit de la ruche. J'entendais les pieds pesants des guerriers mérovingiens[7], ces êtres terribles, casqués de fer et d'ailes de hiboux, qui surgissaient au dernier tableau, sous le chêne sacré... Ils étaient armés d'arbres déracinés, moustachus d'étoupe[8] blonde — et ils chantaient, attends... cette si jolie valse lente !

> Dès que l'aurore au lointain paraît,
> Chacun s'empresse dans la forêt
> Aux joies exquises de la chasse
> Dont jamais on ne se lasse !...

Ils se rassemblaient pour y tuer

> ... au fond des bois
> Des ribambelles
> De gazelles
> Et de dix-cors aux abois.

---

1. Les ouvrières portent un vêtement qui ne correspond ni à leur sexe, ni à leur condition. — 2. Sorte d'arme qui est un bâton garni d'une pointe de fer. — 3. Nom donné aux accords France-Grande-Bretagne en avril 1904, qui aboutit en 1907 à une entente avec la Russie. — 4. Personnage de roman. Jules Claretie a voulu représenter le type de l'acteur raté et nostalgique. — 5. Enveloppée étroitement, comme par une gaine. — 6. Le substantif est mis ici pour la loge de l'artiste, et suggère l'étroitesse de la pièce. — 7. Guerriers appartenant à la dynastie issue de Mérovée, à partir du Ve siècle. — 8. Désignation péjorative des poils touffus et emmêlés, semblables à l'étoupe de chanvre.

KIKI-LA-DOUCETTE, *à part*. — Poésie, poésie !...

TOBY-CHIEN. — Adieu, tout cela ! Adieu, ma scintillante amie, Madame Bariol-Taugé [1] ! Vous m'apparûtes plus belle qu'une armée rangée en bataille, et mon cœur chauvin, mon cœur de bull bien français gonfle, au souvenir des strophes enflammées dont vous glorifiâtes l'Entente cordiale !... Crête rose, ceinture bleue, robe blanche, vous étiez telle qu'une belle poule gauloise, et pourtant vous demeuriez :

> La Parisienne, astre vermeil,
> Apportant son rayon de soleil !
> La Parisienne, la v'là
> Pour cha-a-sser le spleen
> Aussitôt qu'elle est là
> Tous les cœurs s'illuminent !

KIKI-LA-DOUCETTE, *intéressé*. — De qui sont ces vers ?

TOBY-CHIEN. — Je ne sais pas. Mais leur rythme impérieux rouvre en moi des sources d'amertume.

J'attendais l'heure où les Élysées-Girls, maigres, affamées et joueuses, redescendraient de leur Olympe pour me serrer, l'une après l'autre, sur leurs gorges plates et dures, me laissant suffoqué, béat, le poil marbré de plaques roses et blanches... J'attendais, le cœur secoué, l'instant enfin où Elle monterait à son tour, indifférente, farouchement masquée d'une gaîté impénétrable, vers le Plateau, vers la fournaise de lumière qui m'enivrait.. Écoute, Chat, j'ai vu, de ma vie, bien des choses...

KIKI-LA-DOUCETTE, *à part, apitoyé*. — C'est qu'il le croit.

TOBY-CHIEN. —... Mais rien n'égale, dans l'album de mes souvenirs, cette salle des Folies-Élyséennes, où chacun espérait ma venue, où l'on m'accueillait par une rumeur de bravos et de rires !... Modeste — et d'ailleurs myope — j'allais droit à cet être étrange, tête sans corps, chuchoteur, qui vit dans un trou, tout au bord de la scène. Bien que j'en eusse fait mon ami, je m'étonnais tous les soirs de sa monstruosité, et je dardais sur lui mes yeux saillants de homard... Mon second salut était pour cette frétillante créa-

---

1. Poétesse ou actrice patriotique.

ture qu'on nommait Carnac et qui semblait la maîtresse du lieu, accueillant tous les arrivants du même sourire à dents blanches, du même « ah ! » de bienvenue. Elle me plaisait entre toutes. Hors de la scène, sa jeune bouche fardée jetait, dans un rire éclatant, des mots qui me semblaient plus frais que des fleurs mouillées : « Bougre d'em... poté, sacré petit mac... Vieux chameau d'habilleuse, elle m'a foutu entre les jambes une tirette [1] qui me coupe le... », j'ai oublié le reste. Après que j'avais, d'une langue courtoise, léché les doigts menus de cette enfant délicate, je courais de l'une à l'autre avant-scène, pressé de choisir les bonbons qu'on me tendait, minaudant [2] pour celle-ci, aboyant pour celui-là...

KIKI-LA-DOUCETTE, *à part*. — Cabotin, va !

TOBY-CHIEN. —... Et puis-je oublier l'heure que je passai dans l'avant-scène de droite, au creux d'un giron [3] de mousseline et de paillettes, bercé contre une gorge abondante où pendaient des colliers ?... Mais Elle troubla trop tôt ma joie et vint, ayant dit et chanté, me pêcher par la peau de la nuque, me reprendre aux douces mains gantées qui voulaient me retenir... Cette heure merveilleuse finit dans le ridicule, car Elle me brandit aux yeux d'un public égayé, en criant : « Voilà, Mesdames et Messieurs ! le sale cabot qui *fait* les avant-scènes [4] ! » Elle riait aussi, la bouche ironique et les yeux lointains, avec cet air agressif et gai qui sert de masque à sa vraie figure, tu sais ?

KIKI-LA-DOUCETTE, *bref*. — Je sais.

TOBY-CHIEN, *poursuivant*. — Nous descendions, après, vers sa cellule lumineuse où Elle essuyait son visage de couleur, la gomme [5] bleue de ses cils...

ELLE... *(la regardant endormie)*. Elle est là, étendue. Elle sommeille. Elle semble ne rien regretter. Il y a sur son visage un air heureux de détente et d'arrivée. Pourtant,

---

1. Cordons fixés aux coutures à l'envers des jupes de femmes, se réunissant à la taille et servant à relever cette jupe symétriquement. — 2. Prenant des poses affectées pour séduire. — 3. Partie du corps comprise entre les genoux et la ceinture chez une personne assise, terme le plus souvent utilisé pour les femmes. Lieu symboliquement protecteur, maternel. — 4. C'est à l'avant-scène que se jouent les scènes écrites pour « devant le rideau ». Ces scènes auxquelles participe Toby sont de petits spectacles de second ordre. — 5. C'est le terme que Colette emploie pour désigner le mascara, destiné à enduire, recouvrir les cils, probablement parce que la résine entre dans la composition du fard.

quand Elle rêve de longues heures, la tête sur son bras plié, je me demande si Elle n'évoque pas, comme moi, ces soirs lumineux de printemps parisien, tout enguirlandés [1] de perles électriques ?... C'est peut-être cela qui brille au plus profond de ses yeux ?...

KIKI-LA-DOUCETTE. — Non. Je sais, moi. Elle m'a parlé !

TOBY-CHIEN, *jaloux*. — À moi aussi, Elle me parle.

KIKI-LA-DOUCETTE. — Pas de la même manière. Elle te parle de la température, de la tartine qu'Elle mange, de l'oiseau qui vient de s'envoler. Elle te dit : « Viens ici. Gare à ton derrière. Tu es beau. Tu es laid. Tu es mon crapaud bringé [2], ma sympathique grenouille. Je te défends de manger ce crottin sec... »

TOBY-CHIEN. — C'est déjà très gentil, tu ne trouves pas ?

KIKI-LA-DOUCETTE. — Très gentil. Mais nos confidences, d'Elle à moi, de moi à Elle, sont d'autre sorte. Depuis que nous sommes ici, Elle s'est confiée, presque sans paroles, à mon instinct divinateur. Elle se délecte d'une tristesse et d'une solitude plus savoureuses que le bonheur. Elle ne se lasse pas de regarder changer la couleur des heures. Elle erre beaucoup, mais pas loin, et son activité piétine sur ces dix hectares bornés de murs en ruines. Tu la vois parfois debout sur la cime de notre montagne, sculptée dans sa robe par le vent amoureux, les cheveux tour à tour droits et couchés comme les épis du seigle, et pareille à un petit génie de l'Aventure ?... Ne t'en émeus pas. Son regard ne défie pas l'espace, il y cherche, il y menace seulement l'intrus en marche vers sa demeure, l'assaillant de sa retraite..., dirai-je sentimentale [3] ?

TOBY-CHIEN. — Dis-le.

KIKI-LA-DOUCETTE. — Elle n'aime point l'inconnu, et ne chérit sans trouble que ce lieu ancien, retiré, ce seuil usé par ses pas enfantins, ce parc triste dont son cœur connaît tous les aspects. Tu la crois assise là, près de nous ? Elle est assise en même temps sur la roche tiède, au revers de

---

1. Cf. note 1, p. 26. — 2. Cf. note 6, p. 62.— 3. *La Retraite sentimentale* est une œuvre de Colette, publiée en 1907. « *La Retraite sentimentale*, petites aventures d'Annie, jeune femme qui aime beaucoup les hommes, et de Marcel, qui n'aime pas du tout les femmes [...] » *(Mes apprentissages)*.

la combe [1], et aussi sur la branche odorante et basse du pin argenté... Tu crois qu'elle dort ? elle cueille en ce moment, au potager, la fraise blanche qui sent la fourmi écrasée. Elle respire, sous la tonnelle de roses, l'odeur orientale et comestible de mille roses vineuses [2], mûres en un seul jour de soleil. Ainsi immobile et les yeux clos, elle habite chaque pelouse, chaque arbre, chaque fleur — elle se penche à la fois, fantôme bleu comme l'air, à toutes les fenêtres de sa maison chevelue de vigne... Son esprit court, comme un sang subtil [3], le long des veines de toutes les feuilles, se caresse au velours des géraniums, à la cerise vernie, et s'enroule à la couleuvre poudrée de poussière, au creux du sentier jaune... C'est pourquoi tu la vois si sage et les yeux clos, car ses mains pendantes, qui semblent vides, possèdent et égrènent tous les instants d'or de ce beau jour lent et pur.

MAQUILLAGES [4]

« À ton âge, si j'avais mis de la poudre et du rouge aux lèvres, et de la gomme [5] aux cils, que m'aurait dit ma mère ? Tu crois que c'est joli, ce bariolage, ce... ce masque de carnaval, ces... ces exagérations qui te vieillissent ? »

Ma fille ne répond rien. Ainsi j'attendais, à son âge [6], que ma mère eût fini son sermon. Dans son mutisme [7] seul, je peux deviner une certaine irrévérence, car un œil de jeune fille, lustré [8], vif, rétréci entre des cils courbes comme les épines du rosier, est aisément indéchiffrable. Il suffirait, d'ailleurs, qu'elle en appelât à ma loyauté, qu'elle me ques-

---

1. Petite vallée encaissée. Dans un sens restreint : repli de terrain. — **2.** Qui ont l'odeur du vin. — **3.** Terme vieilli : vif, rapide. — **4.** La nouvelle paraît le 8 avril 1933 dans *Le Miroir du monde*. Colette a ouvert un institut de beauté le 1er juin 1932. — **5.** Cf. note 5, p. 68. — **6.** À cette époque, Bel-Gazou, née en 1913, a 20 ans. — **7.** Attitude volontairement silencieuse. — **8.** Brillant, éclatant.

tionnât d'une manière directe : « Franchement, tu trouves ça laid ? Tu me trouves laide ? »

Et je rendrais les armes. Mais elle se tait finement et laisse tomber « dans le froid » mon couplet sur le respect qu'on doit à la beauté adolescente. J'ajoute même, pendant que j'y suis, quelque chose sur « les convenances », et, pour terminer, j'invoque les merveilles de la nature, la corolle [1], la pulpe [2], exemples éternels — imagine-t-on la rose fardée, la cerise peinte ?...

Mais le temps est loin où d'aigrelettes [3] jeunes filles, en province, trempaient en cachette leurs doigts dans la jarre à farine, écrasaient sur leurs lèvres les pétales de géranium, et recueillaient, sous une assiette qu'avait léchée la flamme d'une bougie, un noir de fumée aussi noir que leur petite âme ténébreuse...

Qu'elles sont adroites, nos filles d'aujourd'hui ! La joue ombrée, plus brune que rose, un fard insaisissable, comblant, bleuâtre ou gris, ou vert sourd, l'orbite ; les cils en épingles et la bouche éclatante, elles n'ont peur de rien. Elles sont beaucoup mieux maquillées que leurs aînées. Car souvent la femme de trente à quarante ans hésite : « Aurai-je trente ans, ou quarante ? Ou vingt-cinq ? Appellerai-je à mon secours les couleurs de la fleur, celles du fruit ? » C'est l'âge des essais, des tâtonnements, des erreurs, et du désarroi qui jette les femmes d'un « institut » à une « académie », du massage à la piqûre, de l'acide à l'onctueux, et de l'inquiétude au désespoir.

Dieu merci, elles reprennent courage, plus tard. Depuis que je soigne et maquille mes contemporaines, je n'ai pas encore rencontré une femme de cinquante ans qui fût découragée, ni une sexagénaire neurasthénique [4]. C'est parmi ces championnes qu'il fait bon tenter — et réaliser — des miracles de maquillage. Où sont les rouges d'antan et leur âpreté de groseille, les blancs ingrats, les bleus-

---

1. Partie de la fleur formée par l'ensemble des pétales. — 2. Chair, partie comestible du fruit. — 3. Ces jeunes filles ont la voix et les manières un peu aigres. — 4. Qui se trouve dans un état de faiblesse physique et psychique avec de multiples manifestations somatiques.

enfant-de-Marie [1] ? Nous détenons des gammes à enivrer un peintre. L'art d'accommoder les visages, l'industrie qui fabrique les fards, remuent presque autant de millions que la cinématographie. Plus l'époque est dure à la femme, plus la femme, fièrement, s'obstine à cacher qu'elle en pâtit. Des métiers écrasants arrachent à son bref repos, avant le jour, celle qu'on nommait « frêle créature ». Héroïquement dissimulée sous son fard mandarine, l'œil agrandi, une petite bouche rouge peinte sur sa bouche pâle, la femme récupère, grâce à son mensonge quotidien, une quotidienne dose d'endurance, et la fierté de n'avouer jamais...

Je n'ai jamais donné autant d'estime à la femme, autant d'admiration que depuis que je la vois de tout près, depuis que je tiens, renversé sous le rayon bleu métallique, son visage sans secrets, riche d'expression, varié sous ses rides agiles, ou nouveau et rafraîchi d'avoir quitté un moment sa couleur étrangère. Ô lutteuses ! C'est de lutter que vous restez jeunes. Je fais de mon mieux, mais comme vous m'aidez ! Lorsque certaines d'entre vous me chuchotent leur âge véritable, je reste éblouie. L'une s'élance vers mon petit laboratoire comme à une barricade. Elle est mordante, populacière, superbe :

— Au boulot ! Au boulot ! s'écrie-t-elle. J'ai une vente difficile. S'agit d'avoir trente ans, aujourd'hui — et toute la journée !

De son valeureux optimisme, il arrive que je passe, le temps d'écarter un rideau, à l'une de ces furtives jeunes filles qui ont, du lévrier, le ventre creux, l'œil réticent et velouté, et qui parlent peu, mais parcourent, d'un doigt expert, le clavier des fards :

— Celui-là... Et celui-là... Et puis le truc à z'yeux... Et la poudre foncée... Ah ! Et puis...

C'est moi qui les arrête :

— Et qu'ajouterez-vous quand vous aurez mon âge [2] ?

L'une d'elles leva sur mon visage un long regard désabusé :

---

1. Entre 1900 et 1950 approximativement, les « enfants de Marie » étaient des jeunes filles laïques consacrées à la Vierge. Le voile de la Vierge étant bleu ciel, on peut supposer que cette couleur était associée aux jeunes filles. — **2.** En 1933, Colette a 60 ans.

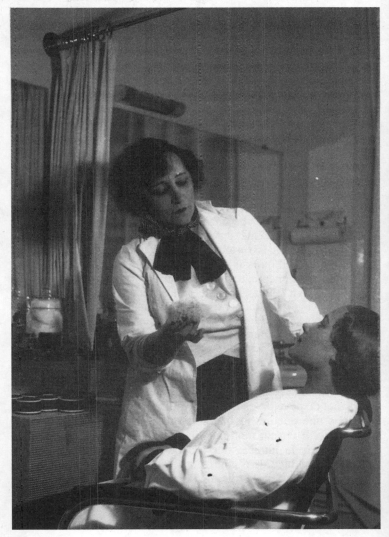

Colette dans son institut de beauté,
rue de Miromesnil, avec sa fille (1932).

« J'écoute, mais surtout je regarde. Une grande paupière brune,
un œil qui s'ignore, une joue romaine, un peu large,
mais ferme encore, tout ce beau terrain à prospecter, à éclairer... »

— Rien... Si vous croyez que ça m'amuse... Mon rêve, c'est d'être maquillée une fois pour toutes, pour la vie ; je me maquille très fort, de manière à avoir la même figure dans vingt ans. Comme ça, j'espère qu'on ne me verra pas changer.

Un de mes grands plaisirs, c'est la découverte. On ne croirait jamais que tant de visages féminins de Paris restent, jusqu'à l'âge mûr, tels que Dieu les créa. Mais vient l'heure dangereuse, et une sorte de panique, l'envie non seulement de durer, mais de naître ; vient l'amer, le tardif printemps des cœurs, et sa force qui déplace les montagnes...

— Est-ce que vous croyez que... Oh ! il n'est pas question pour moi de me changer en jeune femme, bien sûr... Mais, tout de même, je voudrais essayer...

J'écoute, mais surtout je regarde. Une grande paupière brune, un œil qui s'ignore, une joue romaine, un peu large, mais ferme encore, tout ce beau terrain à prospecter, à éclairer... Enviez-moi, j'ai de belles récompenses après le maquillage : le soupir d'espoir, l'étonnement, l'arrogance qui point[1], et ce coup d'œil impatient vers la rue, vers l'« effet que ça fera », vers le risque...

Pendant que j'écris, ma fille est toujours là. Elle lit, et sa main va d'une corbeille de fruits à une boîte de bonbons. C'est une enfant d'à présent. L'or de ses cheveux, en suis-je tout à fait responsable ? Elle a eu un teint de pêche claire, avant de devenir, en dépit de l'hiver, un brugnon très foncé, sous une poudre aussi rousse que le pollen des fleurs de sapin... Elle sent mon regard, y répond malicieusement, et lève vers la lumière une grappe de raisin, noir sous son brouillard bleu de pruine[2] impalpable :

— Lui aussi, dit-elle, il est poudré...

---

1. Cf. note 6, p. 44. — 2. Couche poudreuse qui recouvre certains fruits et les champignons.

BELLES-DE-JOUR[1]

La guêpe mangeait la gelée de groseilles de la tarte. Elle
y mettait une hâte méthodique et gloutonne, la tête en bas,
les pattes engluées, à demi disparue dans une petite cuve
rose aux parois transparentes. Je m'étonnais de ne pas la
voir enfler, grossir, devenir ronde comme une araignée... Et
mon amie n'arrivait pas, mon amie si gourmande, qui vient
goûter assidûment chez moi, parce que je choie[2] ses petites
manies, parce que je l'écoute bavarder, parce que je ne suis
jamais de son avis... Avec moi elle se repose ; elle me dit
volontiers, sur un ton de gratitude, que je ne suis guère
coquette, et je n'épluche[3] point son chapeau ni sa robe,
d'un œil agressif et féminin... Elle se tait, quand on dit du
mal de moi chez ses autres amies, elle va jusqu'à s'écrier :
« Mes enfants, Colette est toquée[4], c'est possible, mais elle
n'est pas si rosse[5] que vous la faites ! » Enfin elle m'aime
bien.

Je ressens, à la contempler, ce plaisir apitoyé et ironique
qui est une des formes de l'amitié. On n'a jamais vu une
femme plus blonde, ni plus blanche, ni plus habillée, ni
plus coiffée ! La nuance de ses cheveux, de ses vrais cheveux, hésite délicatement entre l'argent et l'or, il fallut faire
venir de Suède la chevelure annelée[6] d'une fillette de six
ans, quand mon amie désira les « chichis[7] » réglementaires
qu'exigent nos chapeaux. Sous cette couronne d'un métal
si rare, le teint de mon amie, pour ne point en jaunir, s'avive
de poudre rose, et les cils, brunis à la brosse, protègent un
regard mobile, un regard gris, ambré, peut-être aussi mar-

1. La nouvelle paraît dans *La Vie parisienne*, le 17 août 1907. Dans l'édition
originale des *Vrilles de la vigne*, le texte est dédicacé à Charles Saglio, directeur
de *La Vie parisienne*. — 2. Du verbe choyer : soigner avec une tendre sollicitude, entourer de prévenance. — 3. Du verbe éplucher : chercher avec minutie
ce qu'il y a de critiquable. — 4. Cf. note 5, p. 60. — 5. Familièrement, personne
méchante, dure. — 6. Les cheveux présentent une succession de boucles. La
chevelure de la fillette évoque celle de la jeune Colette. Dans *La Maison de
Claudine*, au début du chapitre « Ma sœur aux longs cheveux », la chevelure de
Claudine est longuement décrite. — 7. Fausses mèches de cheveux disposées
avec art autour du visage.

ron, un regard qui sait se poser, câlin et quémandeur, sur des prunelles masculines, câlines et quémandeuses.

Telle est mon amie, dont j'aurai dit tout ce que je sais, si j'ajoute qu'elle se nomme Valentine[1] avec quelque crânerie, par ce temps de brefs diminutifs où les petits noms des femmes — Tote, Moute, Loche, — ont des sonorités de hoquet mal retenu...

« Elle a oublié », pensais-je patiemment. La guêpe, endormie ou morte de congestion, s'enlisait, la tête en bas, dans la cuve de délices... J'allais rouvrir mon livre, quand le timbre grelotta[2], et mon amie parut. D'une volte[3] elle enroula à ses jambes sa jupe trop longue et s'abattit près de moi, l'ombrelle en travers des genoux — geste savant d'actrice, de mannequin, presque d'équilibriste, que mon amie réussit si parfaitement chaque fois...

— Voilà une heure pour goûter ! Qu'est-ce que vous avez pu faire ?

— Mais rien, ma chère ! Vous êtes étonnante, vous qui vivez entre votre chien, votre chatte et votre livre ! vous croyez que Lelong[4] me réussira des amours de robes sans que je les essaie ?

— Allons... mangez et taisez-vous. Ça ? c'est pas sale, c'est une guêpe. Figurez-vous qu'elle a creusé toute seule ce petit trou ! Je l'ai regardée, elle a mangé tout ça en vingt-cinq minutes.

— Comment, vous l'avez regardée ? Quelle dégoûtante créature vous êtes, tout de même ! Non, merci, je n'ai pas faim. Non, pas de thé non plus.

— Alors je sonne, pour les toasts ?

— Si c'est pour moi, pas la peine... Je n'ai pas faim, je vous dis.

— Vous avez goûté ailleurs, petite rosse[5] ?

---

1. Ce personnage imaginaire de petite bourgeoise apparaît dans *Paysages et Portraits*. Fidèle à l'image qu'en donne ici Colette, elle y est cette émouvante et vulnérable élégante, effarouchée par les « fautes » de son amie Colette. Valentine est également l'héroïne de « La Guérison ». — 2. De grelotter, sonner comme un grelot. — 3. Cercle que le cavalier fait parcourir à sa monture ; par extension, mouvement en rond. — 4. Grand couturier des années trente. — 5. Cf. note 5, p. 75.

— Parole, non ! Je suis toute chose [1], je ne sais pas ce que j'ai...

Étonnée, je levai les yeux vers le visage de mon amie, que je n'avais pas encore isolé de son chapeau insensé, grand comme une ombrelle, hérissé d'une fusée épanouie de plumes, un chapeau feu d'artifice, grandes-eaux de Versailles, un chapeau pour géante qui eût accablé jusqu'aux épaules la petite tête de mon amie, sans les fameux *chichis* [2] blond suédois... Les joues poudrées de rose, les lèvres vives et fardées, les cils raidis lui composaient son frais petit masque habituel, mais quelque chose, là-dessous, me sembla changé, éteint, absent. En haut d'une joue moins poudrée, un sillon mauve gardait la nacre, le vernissé [3] de larmes récentes...

Ce chagrin maquillé, ce chagrin de poupée courageuse me remua soudain, et je ne pus me retenir de prendre mon amie par les épaules, dans un mouvement de sollicitude qui n'est guère de mise entre nous...

Elle se rejeta en arrière en rougissant sous son rose, mais elle n'eut pas le temps de se reprendre et renifla en vain son sanglot...

Une minute plus tard, sans que nous eussions échangé d'autres paroles elle pleurait, en essuyant l'*intérieur* de ses paupières avec la corne d'une serviette à thé. Elle pleurait avec simplicité, attentive à ne pas tacher de larmes sa robe de crêpe de Chine [4], à ne point défaire sa figure, elle pleurait soigneusement, proprement, petite martyre du maquillage...

— Je ne puis pas vous être utile ? lui demandai-je doucement.

Elle fit « non » de la tête, soupira en tremblant, et me tendit sa tasse où je versai du thé refroidi...

— Merci, murmura-t-elle, vous êtes bien gentille... Je vous demande pardon, je suis si nerveuse...

— Pauvre gosse ! Vous ne voulez rien me dire ?

— Oh ! Dieu si. Ce n'est pas compliqué, allez. Il ne m'aime plus.

---

1. Expression qui indique que l'on est mal à l'aise. — 2. Cf. note 7, p. 75. — 3. Légèrement brillant, comme si du vernis avait coulé sur les joues. — 4. Tissu de soie à gros grain.

Il... Son amant ! Je n'y avais pas songé. Un amant, elle ? et quand ? et où ? et qui ? Cet idéal mannequin se dévêtait, l'après-midi, pour un amant ? Un tas d'images saugrenues [1] se levèrent — se couchèrent — devant moi, que je chassai en m'écriant :

— Il ne vous aime plus ? Ce n'est pas possible !

— Oh ! si... Une scène terrible... (Elle ouvrit sa glace d'or, se poudra, essuya ses cils d'un doigt humide.) Une scène terrible, hier...

— Jaloux ?

— Lui, jaloux ? Je serais trop contente ! Il est méchant... Il me reproche des choses... Je n'y peux rien, pourtant !

Elle bouda, le menton doublé sur son haut col :

— Enfin, je vous fais juge ! Un garçon délicieux, et nous n'avions jamais eu un nuage en six mois, pas un accroc, pas ça !... Il était quelquefois nerveux, mais chez un artiste...

— Ah ! il est artiste ?

— Peintre, ma chère. Et peintre de grand talent. Si je pouvais vous le nommer, vous seriez bien surprise. Il a chez lui vingt sanguines [2] d'après moi [3], en chapeau [4], sans chapeau, dans toutes mes robes ! C'est d'un enlevé [5], d'un vaporeux... Les mouvements des jupes sont des merveilles...

Elle s'animait, un peu défaite, les ailes de son nez mince brillantes de larmes essuyées et d'un commencement de couperose [6] légère... Ses cils avaient perdu leur gomme [7] noire, ses lèvres leur carmin... Sous le grand chapeau seyant et ridicule, sous les *chichis* [8] postiches, je découvrais pour la première fois une femme, pas très jolie, pas laide non plus, fade si l'on veut, mais touchante, sincère et triste...

Ses paupières rougirent brusquement.

— Et... qu'est-ce qui est arrivé ? risquai-je.

— Ce qui est arrivé ? Mais rien ! On peut dire *rien*, ma chère ! Hier, il m'a accueillie d'un air drôle... un air de médecin... Et puis tout d'un coup aimable : « Ôte ton cha-

---

1. Étranges, déconcertantes. — **2.** Dessins réalisés avec un pastel d'ocre rouge. — **3.** Elle est le modèle du tableau. — **4.** Le chapeau sur la tête. Parallèlement, « être en cheveux », c'est porter les cheveux détachés, sur les épaules. — **5.** Exécuté avec une certaine hardiesse, et avec facilité. — **6.** Cf. note 3, p. 60. — **7.** Cf. note 5, p. 68. — **8.** Cf. note 7, p. 75.

peau, chérie ! » me dit-il. « Je te garde... pour dîner, dis ? je te garde toute la vie si tu veux ! » C'était ce chapeau-ci, justement, et vous savez que c'est une affaire terrible pour l'installer et le retirer...

Je ne savais pas, mais je hochai la tête, pénétrée...

— ... Je fais un peu la mine. Il insiste, je me dévoue, je commence à enlever mes épingles et un de mes chichis reste pris dans la barrette du chapeau, là, tenez... Ça m'était bien égal, on sait que j'ai des cheveux, n'est-ce pas, et lui mieux que personne ! C'est pourtant lui qui a rougi, en se cachant. Moi, j'ai replanté mon chichi, comme une fleur, et j'ai embrassé mon ami à grands bras autour du cou, et je lui ai chuchoté que mon mari était au circuit de Dieppe, et que... vous comprenez ! Il ne disait rien. Et puis il a jeté sa cigarette et ça a commencé. Il m'en a dit ! Il m'en a dit !...

À chaque exclamation, elle frappait ses genoux de ses mains ouvertes, d'un geste peuple [1] et découragé, comme ma femme de chambre quand elle me raconte que son mari l'a encore battue.

— Il m'a dit des choses incroyables, ma chère ! Il se retenait d'abord, et puis il s'est mis à marcher en parlant... « Je ne demande pas mieux, chère amie, que de passer la nuit avec vous... (ce toupet !) mais je veux... je veux ce que vous devez me donner, ce que vous ne pouvez pas me donner !... »

— Quoi donc, Seigneur ?

— Attendez, vous allez voir... « Je veux la femme que vous êtes *en ce moment*, la gracieuse longue petite fée couronnée d'un or si léger et si abondant que sa chevelure mousse jusqu'aux sourcils. Je veux ce teint de fruit mûri en serre, et ces cils paradoxaux [2], et toute cette beauté école anglaise [3] ! Je vous veux, telle que vous voilà, et non pas telle que la nuit cynique vous donnera à moi ! Car vous viendrez — je m'en souviens ! — vous viendrez conjugale et tendre, sans couronne et sans frisure, avec vos cheveux

---

1. Employé comme adjectif, le mot « peuple » signifie : qui est caractéristique du peuple, qui manque de distinction. — **2.** La longueur, l'épaisseur des cils est surprenante et sort résolument de l'ordinaire. En ce sens, ils étonnent, éblouissent l'amant de Valentine. — **3.** Colette songe peut-être ici à la blondeur, la pâleur de miss Meg Villars, la maîtresse anglaise de Willy.

épargnés par le fer[1], tout plats, tordus en nattes. Vous viendrez petite, sans talons, vos cils déveloutés, votre poudre lavée, vous viendrez désarmée et sûre de vous, et je resterai stupéfait devant cette autre femme !...

« Mais vous le saviez pourtant, criait-il, vous le saviez ! La femme que j'ai désirée, vous, telle que vous voilà, n'a presque rien de commun avec cette sœur simplette et pauvre qui sort de votre cabinet de toilette chaque soir ! De quel droit changez-vous la femme que j'aime ? Si vous vous souciez de mon amour, comment osez-vous défleurir ce que j'aime ?... »

Il en a dit, il en a dit !... Je ne bougeais pas, je le regardais, j'avais froid... Je n'ai pas pleuré, vous savez ! Pas devant lui.

— C'était très sage, mon enfant, et très courageux.

— Très courageux, répéta-t-elle en baissant la tête. Dès que j'ai pu bouger, j'ai filé... J'ai entendu encore des choses terribles sur les femmes, sur toutes les femmes ; sur l'« inconscience prodigieuse des femmes, leur imprévoyant orgueil, leur orgueil de brutes qui pensent toujours, au fond, que ce sera assez bon pour l'homme... » Qu'est-ce que vous auriez répondu, vous ?

— Rien.

Rien, c'est vrai. Que dire ? Je ne suis pas loin de penser comme lui, lui, l'homme grossier et poussé à bout... Il a presque raison. « C'est toujours assez bon pour l'homme ! » Elles sont sans excuse. Elles ont donné à l'homme toutes les raisons de fuir, de tromper, de haïr, de changer... Depuis que le monde existe, elles ont infligé à l'homme, sous les courtines[2], une créature inférieure à celle qu'il désirait. Elles le volent avec effronterie, en ce temps où les cheveux de renfort, les corsets truqués, font du moindre laideron piquant[3] une « petite femme épatante ».

J'écoute parler mes autres amies, je les regarde, et je demeure, pour elles, confuse... Lily, la charmante, ce page aux cheveux courts et frisés, impose à ses amants, dès la

---

1. Qui n'ont pas été artificiellement frisés. — **2.** Rideaux de lit. — **3.** Cf. note 1, p. 44. Au figuré, « piquant » : qui a un certain attrait dû à la vivacité spirituelle, l'originalité.

première nuit, la nudité de son crâne bossué[1] d'escargots marron, l'escargot gras et immonde du bigoudi ! Clarisse préserve son teint, pendant son sommeil, par une couche de crème aux concombres, et Annie relève à la chinoise tous ses cheveux attachés par un ruban ! Suzanne enduit son cou délicat de lanoline[2] et l'emmaillote de vieux linge usé... Minna ne s'endort jamais sans sa mentonnière[3], destinée à retarder l'empâtement des joues et du menton, et elle se colle sur chaque tempe une étoile en paraffine[4]...

Quand je m'indigne, Suzanne lève ses grasses épaules et dit :

« Penses-tu que je vais m'abîmer la peau pour un homme ? Je n'ai pas de peau de rechange. S'il n'aime pas la lanoline, qu'il s'en aille. Je ne force personne. » Et Lily déclare, impétueuse : « D'abord, je ne suis pas laide avec mes bigoudis ! Ça fait petite fille frisée pour une distribution des prix ! » Minna répond à son « ami », quand il proteste contre la mentonnière : « Mon chéri, t'es bassin[5]. Tu es pourtant assez content, aux courses, quand on dit derrière toi : « Cette Minna, elle a toujours son ovale de vierge ! » Et Jeannine, qui porte la nuit une ceinture amaigrissante ! Et Marguerite qui... non, celle-là, je ne peux pas l'écrire !...

Ma petite amie, enlaidie et triste, m'écoutait obscurément penser, et devina que je ne la plaignais pas assez. Elle se leva :

— C'est tout ce que vous me dites ?

— Mon pauvre petit, que voulez-vous que je vous dise ? Je crois que rien n'est cassé, et que votre peintre d'amant grattera demain à votre porte, peut-être ce soir...

— Peut-être qu'il aura téléphoné ? Il n'est pas méchant au fond... il est un peu toqué[6], c'est une crise, n'est-ce pas ?

Elle était debout déjà, tout éclairée d'espoir.

Je dis « oui » chaque fois, pleine de bonne volonté et du désir de la satisfaire... Et je la regardai filer sur le trottoir, de son pas raccourci par les hauts talons... Peut-être, en effet, l'aime-t-il... Et s'il l'aime, l'heure reviendra où, mal-

---

1. Qui comporte des bosses. — 2. Graisse de mouton solide, jaune ambrée. — 3. Large bande de tissu qui passe sous le menton. — 4. Matière blanche et translucide, inodore. Elle sert, par ailleurs, à fabriquer les bougies. — 5. De bassiner, familièrement : ennuyer. — 6. Cf. note 5, p. 60.

gré tous les apprêts et les fraudes, elle redeviendra pour lui, l'ombre aidant, la faunesse[1] aux cheveux libres, la nymphe aux pieds intacts, la belle esclave aux flancs sans plis, nue comme l'amour même...

DE QUOI EST-CE QU'ON A L'AIR[2] ?

— Qu'est-ce que vous faites, demain dimanche ?

— Pourquoi me demandez-vous ça ?

— Oh ! pour rien...

Mon amie Valentine[3] a pris, pour s'enquérir de l'emploi de mon dimanche, un air trop indifférent... J'insiste :

— Pour rien ? c'est sûr ? Allons, dites tout !... Vous avez besoin de moi ?

Elle s'en tire avec grâce, la rouée[4], et me répond gentiment.

— J'ai toujours besoin de vous, ma chère.

Oh ! ce sourire !... Je reste un peu bête, comme chaque fois que sa petite duplicité[5] mondaine me joue[6]. J'aime mieux céder tout de suite :

— Le dimanche, Valentine, je vais au concert, ou bien je me couche. Cette année, je me couche souvent, parce que Chevillard[7] est mal logé et parce que les concerts Colonne[7], qui se suivent, se ressemblent.

— Ah ! vous trouvez ?

— Je trouve. Quand on a fréquenté Bayreuth[8], autrefois, assez assidûment, quand on a joui de Van Rooy en Wotan

---

1. Divinité champêtre féminine. — **2.** La nouvelle paraît le 25 janvier 1908, dans *La Vie parisienne.* — **3.** Cf. note 1, p. 76. — **4.** Sans principe, sans moralité, rusée. — **5.** Hypocrisie, forme de fausseté. — **6.** Le verbe jouer accentue ici le caractère « théâtral » de l'attitude de Valentine. — **7.** Chefs d'orchestre. Les concerts qu'ils donnent à jours fixes ont un caractère très institutionnel. — **8.** Ville industrielle d'Allemagne où sont donnés de très prestigieux et très nombreux opéras. Colette et Willy y séjournèrent en août 1901. À en croire Colette dans *Mes Apprentissages*, le voyage fut organisé afin de lui permettre de rédiger avec plus d'exactitude un épisode de *Claudine s'en va*, où Bayreuth est longuement décrite.

et souffert de Burgstaller en Siegfried, on n'a aucun plaisir, mais aucun, à retrouver celui-ci chez Colonne, en civil, avec sa dégaine de sacristain[1] frénétique couronné de frisettes enfantines, ses genoux de vieille danseuse et sa sensiblerie de séminariste[2]... Un méchant hasard nous réunit au Châtelet, lui sur la scène, moi dans la salle, il y a quelques semaines, et je dus l'entendre bramer — deux fois ! — un « *Ich grolle nicht*[3] » que Mme de Maupeou[4] n'ose plus servir à des parents de province ! Avant la fin du concert, j'ai fui, au grand soulagement de ma voisine de droite, la « dame » d'un conseiller municipal de Paris, ma chère !

— Vous la gêniez ?

— Je lui donnais chaud. Elle ne me connaît plus, depuis qu'une séparation de corps et de biens[5] m'a tant changée. Elle tremblait, chaque fois que je bougeais un cil, que je l'embrassasse...

— Ah ! je comprends !...

Elle comprend !... Les yeux baissés, mon amie Valentine tapote le fermoir de sa bourse d'or. Elle porte — mais je vous l'ai conté déjà — un vaste et haut chapeau, sous lequel foisonnent des cheveux d'un blond ruineux[6]. Ses manches à la japonaise lui font des bras de pingouin, sa jupe, longue et lourde, couvre ses pieds pointus, et il lui faut un terrible entêtement pour paraître charmante sous tant d'horreurs... Elle vient de dire, comme malgré elle :

— Je comprends...

— Oui, vous comprenez. J'en suis sûre. Vous devez comprendre cela... Mon enfant, vous ne rentrez pas chez vous ? Il est tard, et votre mari..

— Oh ! ce n'est pas gentil à vous...

---

1. Employé qui a le soin de la sacristie (lieu où sont déposés les objets du culte, et ornements de l'église). — **2.** Religieux qui se prépare à recevoir les ordres. Cet emploi de répertoire, comme le précédent, est particulièrement antipathique à la fille de Sido. — **3.** « *Ich grolle nicht, und wenn das Herz auch bricht* » ; la traduction littérale est : « Je ne garde pas de rancune, mon cœur dût-il s'en briser. » Cette citation tronquée dans le texte est attribuée à Henri Heine. — **4.** Femme d'un compositeur apprécié à la fin du XIXe. — **5.** Colette songe sans doute au mot d'esprit de Willy, dans une lettre à Curnonsky, à l'heure de leur séparation : « Il paraît que notre séparation prend corps et même séparation de corps. » — **6.** Jeu sur l'ambiguïté du terme qui renvoie tout autant à la complexe élaboration de la « fragile » coiffure, qu'aux dépenses excessives qu'elle suppose.

Ses yeux bleu-gris-vert-marron, humbles, me supplient, et je me repens tout de suite.

— C'est pour rire, bête ! Voyons, que vouliez-vous faire de mon dimanche ?

Mon amie Valentine écarte ses petits bras de pingouin, comiquement :

— Eh bien, voilà, justement, c'est comme un fait exprès... Figurez-vous, demain après-midi, je suis toute seule, toute seule...

— Et vous vous plaignez !...

Le mot m'a échappé... Je la sens presque triste, cette jeune poupée. Son mari absent, son amant... occupé, ses ami — les vrais, — fêtent le Seigneur portes closes, ou filent en auto...

— Vous vouliez venir chez moi, demain, mon petit ? Mais venez donc ! C'est une très bonne idée.

Je n'en pense pas un mot, mais elle me remercie, d'un regard chien-perdu propre à me toucher, et elle s'en va, vite, pressée, comme si vraiment elle avait quelque chose à faire...

DIMANCHE. — Mon cher dimanche de paresse et de lit tiède, mon dimanche de gourmandise, de sommeil, de lecture, te voilà perdu, gâché, et pour qui ? Pour une incertaine amie qui m'apitoie vaguement...

Ne t'endors pas, ma chatte grise repue, car mon amie Valentine va sonner, entrer, froufrouter, s'exclamer... Elle passera sa main gantée sur ton dos, et tu frémiras de l'échine, en levant sur elle des yeux meurtriers... Tu sais qu'elle ne t'aime guère, toi ma campagnarde à fourrure rase ; elle s'extasie devant les angoras qui ont des pèlerines de colleys[1] et des favoris comme Chauchard[2]... Parce que tu l'as griffée un jour, elle s'écarte de toi, elle ignore ta petite âme violente, délicate et vindicative[3], de chatte bohémienne. Dès qu'elle viendra, tourne-lui ton dos zébré, roule-toi en turban contre mes pieds, sur le satin éraillé[4] par tes griffes courbes qui ont la forme des épines d'églantier...

---

1. Le chien colley est doté d'un abondant pelage qui forme une épaisse crinière, comme une pèlerine, autour de ses épaules et sur son poitrail. — 2. Un des fondateurs des grands magasins du Louvre. — 3. Qui aime à se venger. — 4. Se dit d'une étoffe dont les fils s'écartent.

Chut ! elle a sonné... La voici ! Elle grelotte et pose au hasard sur ma figure son petit nez glacé — elle embrasse si mal !

— Seigneur ! votre nez a perdu connaissance, ma chérie. Asseyez-vous dans le feu, je vous en prie.

— Ne riez pas, c'est terrible dehors ! Avez-vous de la chance, tout de même, d'être couchée ! Quatre degrés sous zéro ; tout le monde va mourir.

De fait, le visage de mon amie a tourné au lilas [1], le lilas un peu verdâtre des prunes qui commencent à mûrir...

Un splendide costume tailleur, en velours souris, la moule, l'épouse du col [2] aux pieds. La jaquette surtout, oh ! la jaquette !... étroite en haut, évasée en bas, la basque brodée battant le genou, comme une seconde petite jupe... Et on a jeté là-dessus, par quatre degrés sous zéro, une étole [3] de zibeline, un coûteux chiffon de fourrure inutile — et on meurt de froid et on a le nez mauve.

— Petite buse [4] ! Vous ne pouviez pas mettre votre paletot en breitschwanz [5], au moins ?

Elle se tourne à demi, les mains au chapeau, égarée dans sa voilette :

— Mais non, je ne pouvais pas ! Avec cette mode de jaquettes [6] longues, les basques [7] de celle-ci dépassent sous mon manteau de breitschwanz, alors, je vous demande un peu, de quoi est-ce qu'on a l'air ?

— Il fallait allonger le paletot [8] de breitschwanz.

— Merci ! et puis quoi encore ! Max [9] est très chic, et pas trop cher, mais tout de même...

— Il fallait... acheter une zibeline plus grande...

Mon amie vire sur moi comme si elle allait me mordre.

— Une... une zibeline plus grande !!! Je ne suis pas Rothschild [10], moi !

---

1. Elle est devenue rose-mauve. — 2. Cf. note 2, p. 26. — 3. Écharpe de fourrure longue et large portée sur les épaules. — 4. Oiseau rapace. Ici au figuré, le mot désigne l'ignorant, le sot. — 5. Peau d'agneau noir mort-né, aussi appelée astrakan. — 6. Vêtements ajustés à la taille, surtout portés par les hommes. — 7. Parties tombantes du vêtement qui partent de la taille et recouvrent les hanches. — 8. Vêtement droit à poches extérieures, qui se porte sur d'autres vêtements. — 9. Il s'agit de Max Auspitz, fourreur rue Saint-Honoré. — 10. Les membres de cette famille de banquiers allemands, de confession israélite, étaient à la tête d'une grande fortune.

— Moi non plus. Ou bien... attendez... vous auriez dû avoir un manteau sérieux, en fourrure moins chère, qui ne serait pas de la zibeline...

Dépêtrée de sa voilette, mon amie laisse tomber ses bras fatigués.

— Une autre fourrure !... Il n'y a pas de fourrure vraiment chic, vraiment *habillée*, en dehors de la zibeline... Une femme chic sans zibeline, sérieusement, ma chère, de quoi a-t-elle l'air ?

De quoi, en effet, peut-elle bien avoir l'air ? Je n'en sais rien. Je cherche, en caressant des orteils, au fond de mon lit, ma « boule [1] » en caoutchouc...

Le feu craque et siffle, un feu campagnard et sans vergogne [2], qui pète et lance de petites braises roses...

— Valentine, vous allez être bien gentille et vous occuper du ménage. Tirez la table à thé contre le lit. L'eau bouillante est devant le feu ! les sandwiches, le frontignan [3], tout est là... vous n'aurez pas à sonner Francine ; je ne serai pas forcée de me lever ; on va être tranquilles, gourmandes, paresseuses... Ôtez votre chapeau, vous pourrez appuyer votre nuque aux coussins... Là donc !

Elle est gentille, sans chapeau. Un peu modiste, un peu mannequin, mais gentille. Un beau rouleau de cheveux dorés s'abaisse jusqu'à ses sourcils châtains et soutient une grosse vague ondulée ; — au-dessus, il y a encore une vague plus petite, et puis encore au-dessus, en arrière, des boucles, des boucles, des boucles... C'est appétissant, propre, à la fois crémeux et net, compliqué comme un entremets de repas de noces...

La lampe — j'ai fait clore persiennes et rideaux — jette au visage de mon amie un fard rose ; mais, malgré la poudre de riz en nappe égale et veloutée, malgré le rouge des lèvres, je devine les traits tirés, le sourire raidi... Elle s'appuie aux coussins avec un grand soupir de fatigue...

— Claquée ?

— Claquée complètement.

---

1. Bouillotte. — **2.** Sans pudeur ni retenue. — **3.** Vin blanc sucré, produit à partir du cépage muscat.

— L'amour ?...

Geste d'épaules.

— L'amour ? Ah ! là là... Pas le temps. Avec les « premières [1] », les dîners, les soupers, les déjeuners en auto aux environs, les expositions et les thés... C'est terrible, ce mois-ci !

— On se couche tard, hein ?

— Hélas...

— Levez-vous tard. Ou bien vous perdrez votre beauté, mon petit.

Elle me regarde, étonnée :

— Me lever tard ? Vous en parlez à votre aise. Et la maison ? Et les ordres à donner ? Et les comptes des fournisseurs ? Et tout et tout !... Et la femme de chambre qui frappe à ma porte vingt-cinq fois !

— Tirez le verrou, et dites qu'on vous fiche la paix.

— Mais je ne peux pas ! Rien ne marcherait plus chez moi ; ce serait le coulage [2], le vol organisé... Tirer le verrou ! Je pense à la figure que ferait, derrière la porte, mon gros maître d'hôtel qui ressemble à Jean de Bonnefon [3]... De quoi est-ce que j'aurais l'air ?

— Je ne sais pas, moi... D'une femme qui se repose...

— Facile à dire... soupire-t-elle dans un bâillement nerveux. Vous pouvez vous payer ça, vous qui êtes... qui êtes...

— En marge de la société...

Elle rit de tout son cœur, soudain rajeunie... Puis, mélancolique :

— Eh oui, vous le pouvez. *Nous autres*, on ne nous le permet pas.

Nous autres... Pluriel mystérieux, franc-maçonnerie imposante de celles que le monde hypnotise, surmène et discipline... Un abîme sépare cette jeune femme assise, en costume tailleur gris, de cette autre femme couchée sur le ventre, les poings au menton. Je savoure, silencieuse, mon enviable infériorité. Tout bas, je songe :

« *Vous autres*, vous ne pouvez pas vivre n'importe com-

---

1. Cf. note 4, p. 62. — 2. Rapine, menus vols des domestiques. — 3. Journaliste spécialiste des questions ecclésiastiques, qui appréciait fort peu le talent de Colette.

ment... C'est là votre supplice, votre orgueil et votre perte.
Vous avez des maris qui vous mènent, après le théâtre, souper — mais vous avez aussi des enfants et des femmes de
chambre qui vous tirent, le matin, à bas du lit. Vous soupez,
au *Café de Paris*[1], à côté de Mlle Xaverine de Choisy[2] et
vous quittez le restaurant en même temps qu'elle, un peu
grises[3], un peu toquées[4], les nerfs en danse[5]... Mais Mlle de
Choisy, chez elle, dort si ça lui chante, aime si ça lui rou-
coule, et jette en s'endormant à sa camériste fidèle : « Je
me pieute[6] pour jusqu'à deux heures de l'après-midi, et
qu'on ne me barbe pas avant ou je fiche ses huit jours[7] à
tout le monde ! » Ayant dormi neuf heures d'un juste repos,
Mlle de Choisy s'éveille, fraîche, déjeune, et file rue de la
Paix, où elle vous rencontre, vous, Valentine, vous, toutes
les Valentines, vous, mon amie, debout depuis huit heures
et demie du matin, déjà sur les boulets[8], pâlotte et les yeux
creux... Et Mlle de Choisy, bonne fille, glisse en confidence
à son essayeuse : « Elle en a une mine, la petite
Mme Valentine Chose ! Elle doit s'en coller une de ces
noces ! » Et votre mari, et votre amant, au souper suivant
compareront *in petto*[9], eux aussi, la fraîcheur reposée de
Mlle de Choisy à votre évidente fatigue. Vous penserez,
rageuse et inconsidérée : « Elles sont en acier, ces femmes-
là ! » Que non pas, mon amie ! Elles se reposent plus que
vous. Quelle demi-mondaine résisterait au traintrain quotidien de certaines femmes du monde ou même de certaines
mères de famille ?... »

Ma jeune amie a ébouillanté le thé, et emplit les tasses
d'une main adroite. J'admire son élégance un peu voulue,
ses gestes justes ; je lui sais gré de marcher sans bruit, tandis que sa longue jupe la précède et la suit, d'un flot obéis-

---

1. Très à la mode depuis 1830. — **2.** Demi-mondaine, sans doute création
originale de Colette. — **3.** Légèrement ivres. — **4.** Cf. note 5, p. 60. — **5.** L'expression imagée « mettre en danse » signifie imprimer un mouvement rythmé et
souvent brutal, désagréable. Les nerfs de la petite bourgeoise sont fort malmenés.
On peut songer à l'expression parallèle : « avoir les nerfs en pelote ». — **6.** Se
pieuter : familièrement, se coucher. — **7.** Mettre à la porte. — **8.** Articulations
des membres des équidés situées juste au-dessus du sabot. Être « sur les boulets »
signifie être à bout de force en parlant du cheval. Cette expression s'emploie au
figuré en parlant d'un humain avec le même sens. L'expression « être sur les
rotules » semble avoir un sens approchant. — **9.** De l'italien, dans son cœur,
dans son for intérieur.

sant et moiré[1]... Je lui sais gré de se confier à moi, de revenir, au risque de compromettre sa position correcte de femme qui a un mari et un amant, de revenir chez moi avec un entêtement affectueux qui frise l'héroïsme...

Au tintement des cuillers, ma chatte grise vient d'ouvrir ses yeux de serpent.

Elle a faim. Mais elle ne se lève pas tout de suite, par souci de pur *cant*[2]. Mendier, à la façon d'un angora plaintif et câlin, sur une mélopée mineure, fi !... De quoi est-ce qu'elle aurait l'air ? comme dit Valentine... Je lui tends un coin de toast brûlé, qui craque sous ses petites dents de silex d'un blanc bleuté, et son ronron perlé double celui de la bouilloire... Durant une longue minute, un silence quasi provincial nous abrite. Mon amie se repose, les bras tombés...

— On n'entend rien, chuchote-t-elle avec précaution.

Je lui réponds des yeux sans parler, amollie de chaleur et de paresse. On est bien... Mais l'heure ne serait-elle pas meilleure encore, si mon amie n'était pas là ? Elle va parler, c'est inévitable. Elle va dire : « De quoi est-ce qu'on a l'air ? » Ce n'est pas de sa faute, on l'a élevée comme ça. Si elle avait des enfants, elle leur défendrait de manger leur viande sans pain, ou de tenir leur cuiller avec la main gauche : « Jacques, veux-tu bien !... De quoi as-tu l'air ?... »

Chut !... elle ne parle pas. Ses paupières battent et ses yeux ont l'air de s'évanouir... J'ai, devant moi, une figure presque inconnue, celle d'une jeune femme ivre de sommeil et qui s'endort avant d'avoir fermé les paupières. Le sourire voulu s'efface, la lèvre boude, et le petit menton rond s'écrase sur le col en broderie d'argent.

Elle dort profondément à présent. Quand elle se réveillera en sursaut, elle s'excusera, en s'écriant : « M'endormir en visite, sur un fauteuil ! De quoi ça a-t-il l'air ? »

Mon amie Valentine, vous avez l'air d'une jeune femme oubliée là comme un pauvre chiffon gracieux. Dormez entre le feu et moi, au ronron de la chatte, au froissement

---

1. Chatoyant. — 2. Mot anglais qui désigne la tartuferie, une affectation proche de l'hypocrisie. Le terme désigne ici la retenue de l'animal, son attitude affectée.

léger du livre que je vais lire. Personne n'entrera avant votre réveil ; personne ne s'écriera, en contemplant votre sommeil boudeur et mon lit défait : « Oh ! de quoi ça a-t-il l'air ! » car vous en pourriez mourir de confusion. Je veille sur vous, avec une tiède, une amicale pitié ; je veille sur votre constant et vertueux souci de l'*air* que *ça* pourrait avoir...

LA GUÉRISON [1]

La chatte grise est ravie que je fasse du théâtre. Théâtre ou music-hall, elle n'indique pas de préférence. L'important est que je disparaisse tous les soirs, la côtelette avalée, pour reparaître vers minuit et demi, et que nous nous attablions derechef devant la cuisse de poulet ou le jambon rose... Trois repas par jour au lieu de deux ! Elle ne songe plus, passé minuit, à celer son allégresse. Assise sur la nappe, elle sourit sans dissimulation, les coins de sa bouche retroussés, et ses yeux, pailletés d'un sable scintillant, reposent larges ouverts et confiants sur les miens. Elle a attendu toute la soirée cette heure précieuse, elle la savoure avec une joie victorieuse et égoïste qui la rapproche de moi...

Ô chatte en robe de cendre ! Pour les profanes, tu ressembles à toutes les chattes grises de la terre, paresseuse, absente, morose, un peu molle, neutre, ennuyée... Mais je te sais sauvagement tendre, et fantasque, jalouse à en perdre l'appétit, bavarde, paradoxalement maladroite, et brutale à l'occasion autant qu'un jeune dogue...

Voici juin, et je ne joue plus *La Chair* [2], et j'ai fini de jouer *Claudine* [3]... Finis, nos soupers tête à tête !... Regret-

---

1. Publiée le 20 juin 1908, dans *La Vie parisienne*, la nouvelle est dédicacée à Henry Bataille dans l'édition originale. — **2.** Il s'agit d'un spectacle de mime auquel Colette a participé au côté de Georges Wague, de novembre 1907 à mai 1908. Le rôle de Colette la dénudait à demi, ce qui ne fut pas sans provoquer certains remous en dépit du franc succès. — **3.** La pièce tirée du livre est jouée à Paris en décembre 1907.

tes-tu l'heure silencieuse où, affamée, un peu abrutie, je grattais du bout des ongles ton petit crâne plat de bête cruelle, en songeant vaguement : « Ça a bien marché, ce soir... » Nous voilà seules, redevenues casanières, insociables, étrangères à presque tout, indifférentes à presque tous... Nous allons revoir notre amie Valentine, notre « relation convenable », et l'entendre discourir sur un monde habité, étrange, mal connu de nous, plein d'embûches, de devoirs, d'interdictions, monde redoutable, à l'en croire, mais si loin de moi que je le conçois à peine...

Durant mes stages de pantomime[1] ou de comédie, mon amie Valentine disparaît de ma vie, discrète, effarée[2], pudique. C'est sa façon courtoise de blâmer mon genre d'existence. Je ne m'en offusque pas. Je me dis qu'elle a un mari dans les automobiles, un amant peintre mondain, un salon, des thés hebdomadaires et des dîners bi-mensuels. Vous ne me voyez guère, n'est-ce pas, jouant *La Chair*[3] ou *Le Faune*[4] en soirée chez Valentine ou dansant *Le Serpent bleu*[5] devant ses invités ?... Je me fais une raison. J'attends. Je sais que mon amie convenable reviendra, gentille, embarrassée, un de ces jours... Peu ou beaucoup, elle tient à moi et me le prouve, et c'est assez pour que je sois son obligée[6]...

La voici. J'ai reconnu son coup de sonnette bref et précis, son coup de sonnette de bonne compagnie...

— Enfin, Valentine[7] ! Qu'il y a donc longtemps...

Quelque chose dans son regard, dans toute sa figure, m'arrête. Je ne saurais dire, au juste, en quoi mon amie est changée. Mauvaise mine ? Non, elle n'a jamais mauvaise mine, sous le velours égal de la poudre et le frottis[8] rose des pommettes. Elle a toujours son air de mannequin élégant, la

---

1. Cf. note 3, p. 59. Dès la fin de l'année 1905, Colette prit des leçons de pantomime avec Georges Wague. — **2.** Prise d'un grand trouble moral visible sur son visage. — **3.** Cf. note 2, p. 90. — **4.** Colette fit ses débuts publics comme mime le 6 février 1906, sur la scène des Mathurins, dans *Le Désir, l'Amour et la Chimère*. Elle y tenait le rôle d'un faune. Elle songe peut-être également au personnage de Paniska (cf. note 13, p. 30). — **5.** Il s'agit d'un autre spectacle de pantomime. — **6.** Être l'obligé de quelqu'un, c'est lui être redevable. — **7.** Cf. p. 82. — **8.** Terme de peinture. Fine couche de peinture transparente.

En 1906, au théâtre des Mathurins, Colette fait ses début publics
d'actrice ; elle joue le rôle d'un faune dans *Le Désir, l'Amour
et la Chimère*, mimodrame de Francis de Croisset et Jean Nouguès.

(© *Harlingue-Viollet*)

taille mince, les hanches ravalées[1] sous sa jupe de tussor[2] blond. Elle a ses yeux bleu-gris-vert-marron frais fleuris entre leur double frange de cils noircis, et un tas, un tas de beaux cheveux blond-suédois... Qu'y a-t-il ? Un ternissement de tout cela, une fixité nouvelle dans le regard, une décoloration morale, si je puis dire, qui déconcerte, qui arrête sur mes lèvres les banalités de bienvenue... Pourtant elle s'assied, adroite à virer dans sa longue robe, aplatit d'une tape son jabot de lingerie, sourit et parle, parle, jusqu'à ce que je l'interrompe sans diplomatie :

— Valentine, qu'est-ce que vous avez ?

Elle ne s'étonne pas et répond simplement :

— Rien. Presque rien, vraiment. Il m'a quittée.

— Comment ? Henri... Votre... Votre amant vous a quittée ?

— Oui, dit-elle. Ça fait juste trois semaines aujourd'hui.

La voix est si douce, si froide, que je me rassure :

— Ah ! Vous... vous avez eu du chagrin ?

— Non, dit-elle avec la même douceur. Je n'en ai pas eu, j'en ai.

Ses yeux deviennent tout à coup grands, grands, interrogent les miens avec une âpreté soudaine :

— Oui, j'en ai. Oh ! j'en ai... Dites, est-ce que ça va durer comme ça ? Est-ce que je vais souffrir longtemps ? Vous ne connaîtriez pas un moyen... Je ne peux pas m'habituer... Que faire ?

La pauvre enfant !... Elle s'étonne de souffrir, elle qui ne s'en croyait pas capable...

— Votre mari, Valentine... il n'a rien su ?

— Non, dit-elle impatiemment, il n'a rien su. Ce n'est pas de cela qu'il s'agit. Qu'est-ce que je pourrais faire ? Vous n'avez pas une idée, vous ? Depuis quinze jours je suis à me demander ce qu'il faut faire...

— Vous l'aimez encore ?

Elle hésite :

— Je ne sais pas... Je lui en veux terriblement, parce qu'il ne m'aime plus et qu'il m'a quittée... Je ne sais pas,

---

1. Une taille ravalée est aplatie, étroitement gainée, afin de paraître plus mince, plus étroite. — 2. Étoffe de soie légère.

moi. Je sais seulement que c'est insupportable, insupportable, cette solitude, cet abandon de tout ce qu'on aimait, ce
vide, ce...

Elle s'est levée sur ce mot « insupportable » et marche
dans la chambre comme si une brûlure l'obligeait à fuir, à
chercher la place fraîche...

— Vous n'avez pas l'air de comprendre. Vous ne savez
pas ce que c'est, vous...

J'abaisse mes paupières, je retiens un sourire apitoyé,
devant cette ingénue vanité de souffrir, de souffrir mieux et
plus que les autres...

— Mon enfant, vous vous énervez. Ne marchez pas
comme cela. Asseyez-vous... Voulez-vous ôter votre chapeau et pleurer tranquillement ?

D'une dénégation révoltée, elle fait danser sur sa tête
tous ses panaches couleur de fumée [1].

— Certainement non, que je ne m'amuserai pas à pleurer ! Merci ! Pour me défaire toute la figure, et m'avancer
à quoi, je vous le demande ? Je n'ai aucune envie de pleurer, ma chère. Je me fais du mauvais sang, voilà tout...

Elle se rassied, jette son ombrelle sur la table. Son petit
visage durci n'est pas sans beauté véritable, en ce moment.
Je songe que depuis trois semaines elle se pare chaque jour
comme d'habitude, qu'elle échafaude minutieusement son
château fragile de cheveux... Depuis trois semaines — vingt
et un jours ! — elle se défend contre les larmes dénonciatri-
ces, elle noircit d'une main assurée ses cils blonds, elle
sort, reçoit, potine [2], mange... Héroïsme de poupée, mais
héroïsme tout de même...

Je devrais peut-être, d'un grand enlacement fraternel, la
saisir, l'envelopper, fondre sous mon étreinte chaude ce
petit être raidi, cabré, enragé contre sa propre douleur... Elle
s'écroulerait en sanglots, détendrait ses nerfs qui n'ont pas
dû, depuis trois semaines, faiblir... Je n'ose pas. Nous ne
sommes pas assez intimes, Valentine et moi, et sa brusque
confidence ne suffit pas à combler deux mois de séparation...

Et d'ailleurs quel besoin d'amollir, par des dorlotements

---

1. Il s'agit du chapeau. — 2. Elle se livre à de petits commérages.

de nourrice, cette force fière qui soutient mon amie ? « Les larmes bienfaisantes... », oui, oui, je connais le cliché ! Je connais aussi le danger, l'enivrement des larmes solitaires et sans fin ; — on pleure parce qu'on vient de pleurer, et on recommence ; — on continue par entraînement, jusqu'à la suffocation, jusqu'à l'aboiement nerveux, jusqu'au sommeil d'ivrogne d'où l'on se réveille bouffi, marbré, égaré, honteux de soi, et plus triste qu'avant... Pas de larmes, pas de larmes ! J'ai envie d'applaudir, de féliciter mon amie qui se tient assise devant moi, les yeux grands et secs, couronnée de cheveux et de plumes, avec la grâce raide des jeunes femmes qui portent un corset trop long...

— Vous avez raison, ma chérie, dis-je enfin.

Je prends soin de parler sans chaleur, comme si je la complimentais du choix de son chapeau...

— Vous avez raison. Demeurez comme vous êtes, s'il n'y a pas de remède, de réconciliation possible...

— Il n'y en a pas, dit-elle froidement, comme moi.

— Non ?... Alors il faut attendre...

— Attendre ? Attendre quoi ?

Quel réveil tout à coup, quel fol espoir ! Je secoue la tête :

— Attendre la guérison, la fin de l'amour. Vous souffrez beaucoup, mais il y a pis. Il y a le moment — dans un mois, dans trois mois, je ne sais quand — où vous commencerez à souffrir par intermittences. Vous connaîtrez les répits, les moments d'oubli animal qui viennent, sans qu'on sache pourquoi, parce qu'il fait beau, parce qu'on a bien dormi ou parce qu'on est un peu malade... Oh ! mon enfant ! comme les reprises du mal sont terribles ! Il s'abat sur vous sans avertir, sans rien ménager... Dans un moment innocent et léger, un suave moment délivré, au milieu d'un geste, d'un éclat de rire, *l'idée*, le foudroyant souvenir de la perte affreuse tarit votre rire, arrête la main qui portait à vos lèvres la tasse de thé, et vous voilà terrifiée, espérant la mort avec la conviction ingénue qu'on ne peut souffrir autant sans mourir... Mais vous ne mourrez pas !... — vous non plus. Les trêves reviendront irrégulières, imprévisibles, capricieuses. Ce sera... ce sera vraiment terrible... Mais...

— Mais ?...

Mon amie m'écoute, moins défiante à présent, moins hostile...

— Mais il y a pis encore !

Je n'ai pas assez surveillé ma voix... Au mouvement de mon amie, je baisse le ton :

— Il y a pis. Il y a le moment où vous ne souffrirez presque plus. Oui ! Presque guérie, c'est alors que vous serez « l'âme en peine », celle qui erre, qui cherche elle ne sait quoi, elle ne veut se dire quoi...

À cette heure-là, les reprises du mal sont bénignes [1], et par une étrange compensation, les trêves se font abominables, d'un vide vertigineux et fade qui chavire le cœur... C'est la période de stupidité, de déséquilibre... On sent un cœur vidé, ridé, flotter dans une poitrine que gonflent par instants des soupirs tremblants qui ne sont pas même tristes. On sort sans but, on marche sans raison, on s'arrête sans fatigue... On creuse avec une avidité bête la place de la souffrance récente, sans parvenir à en tirer la goutte de sang vif et frais — on s'acharne sur une cicatrice à demi sèche, on regrette — je vous le jure ! —, on regrette la nette brûlure aiguë... C'est la période aride, errante, que vient encore aigrir le scrupule... Certes, le scrupule ! Le scrupule d'avoir perdu le beau désespoir passionné, frémissant, despotique [2]... On se sent diminué, flétri, inférieur aux plus médiocres créatures... Vous vous direz, vous aussi : « Quoi ! je n'étais, je ne suis que cela ? pas même l'égale du trottin [3] amoureux qui se jette à la Seine ? » Ô Valentine ! vous rougirez de vous-même en secret, jusqu'à...

— Jusqu'à ?...

Mon Dieu, comme elle espère ! Jamais je ne lui verrai d'aussi beaux yeux couleur d'ambre, d'aussi larges prunelles, une bouche aussi angoissée...

— Jusqu'à la guérison, mon amie, la vraie guérison. Cela vient... mystérieusement. On ne la sent pas tout de suite. Mais c'est comme la récompense progressive de tant de peines... Croyez-moi ! cela viendra, je ne sais quand.

---

1. Sans gravité. — **2.** Cf. Proust : « Il y a, dans ce monde où tout s'use, quelque chose qui se détruit plus complètement que la beauté, c'est le chagrin. » — **3.** Jeune femme qui fait les courses dans un magasin, équivalent de « midinette ».

Une journée douce de printemps, ou bien un matin mouillé d'automne, peut-être une nuit de lune, vous sentirez en votre cœur une chose inexprimable et vivante s'étirer voluptueusement — une couleuvre heureuse qui se fait longue, longue, — une chenille de velours déroulée, — un desserrement, une déchirure soyeuse et bienfaisante comme celle de l'iris qui éclôt... Sans savoir pourquoi, à cette minute, vous nouerez vos mains derrière votre tête, avec un inexplicable sourire... Vous découvrirez, avec une naïveté reconquise, que la lumière est rose à travers la dentelle des rideaux, et doux le tapis aux pieds nus — que l'odeur des fleurs et celle des fruits mûrs exaltent au lieu d'accabler... Vous goûterez un craintif bonheur, pur de toute convoitise, délicat, un peu honteux, égoïste et soigneux de lui-même...

Mon amie me saisit les mains :

— Encore ! encore ! dites encore !...

Hélas, qu'espère-t-elle donc ? ne lui ai-je pas assez promis en lui promettant la guérison ? Je caresse en souriant ses petites mains chaudes :

— Encore ! mais c'est fini, mon enfant. Que voulez-vous donc ?

— Ce que je veux ? mais... l'amour, naturellement, l'amour !

Mes mains abandonnent les siennes :

— Ah ! oui... Un autre amour... Vous voulez un autre amour...

C'est vrai... Je n'avais pas pensé à un autre amour... Je regarde de tout près cette jolie figure anxieuse, ce gracieux corps apprêté, arrangé, ce petit front têtu et quelconque... Déjà elle espère un autre amour, meilleur, ou pire, ou pareil à celui qu'on vient de lui tuer... Sans ironie, mais sans attendrissement, je la rassure :

— Oui, mon enfant, oui. Vous, vous aurez un autre amour... Je vous le promets.

LE MIROIR [1]

Il m'arrive souvent de rencontrer Claudine. Où ? vous n'en saurez rien. Aux heures troubles du crépuscule, sous l'accablante tristesse d'un midi blanc [2] et pesant, par ces nuits sans lune, claires pourtant, où l'on devine la lueur d'une main nue, levée pour montrer une étoile, je rencontre Claudine [3]...

Aujourd'hui, c'est dans la demi-obscurité d'une chambre sombre, tendue de je ne sais quelle étoffe olive, et la fin du jour est couleur d'aquarium...

Claudine sourit et s'écrie : « Bonjour, mon Sosie [4] ! » Mais je secoue la tête et je réponds : « Je ne suis pas votre Sosie. N'avez-vous point assez de ce malentendu qui nous accole l'une à l'autre, qui nous reflète l'une dans l'autre, qui nous masque l'une par l'autre ? Vous êtes Claudine, et je suis Colette. Nos visages, jumeaux, ont joué à cache-cache assez longtemps. On m'a prêté Rézi [5], votre blonde amie, on vous a mariée à Willy, vous qui pleurez en secret Renaud [6]... Tout cela finit par lasser, ne trouvez-vous pas ? »

Claudine hésite, hausse l'épaule et répond vaguement : « Ça m'est égal ! » Elle enfonce son coude droit dans un coussin, et, comme, par imitation, j'étaie [7], en face d'elle, mon coude gauche d'un coussin pareil, je crois encore une fois me mirer dans un cristal épais et trouble, car la nuit descend et la fumée d'une cigarette abandonnée monte entre nous...

---

1. La nouvelle paraît le 15 février 1908, dans *La Vie parisienne*. — 2. La lumière de midi, très crue, peut paraître blanche lorsque le soleil est à son zénith. — 3. À propos de son héroïne, Catulle Mendès dit à Colette : « Alors vous verrez ce que c'est que d'avoir, en littérature, créé un type. Vous ne vous rendez pas compte. Une force, certainement, oh ! certainement ! Mais aussi, une sorte de châtiment, une faute qui vous suit, qui vous colle à la peau, une récompense insupportable qu'on vomit... Vous n'y échapperez pas, vous avez créé un type. » (*Mes apprentissages*) — 4. Personnage de l'*Amphytrion* de Plaute. Par extension, personne qui a une parfaite ressemblance avec une autre au point qu'on peut les confondre. — 5. Elle est « l'amie » de Claudine, dans *Claudine en ménage*. Comme dans le roman, son modèle Madame Raoul Duval, a probablement eu une liaison avec Willy, avant de devenir l'amie intime de Colette. — 6. Le mari de Claudine n'est apparemment pas inspiré par la figure de Willy. Il importait en effet de le distinguer de Maugis (cf. note 9, p. 102). Renaud ne coïncide avec son modèle que par certains détails : comme Willy, il est journaliste, porte la moustache, mène une existence mondaine... — 7. Appuie, soutient.

— Ça m'est égal ! répète-t-elle.

Mais je sais qu'elle ment. Au fond, elle est vexée de m'avoir laissée parler la première. Elle me chérit d'une tendresse un peu vindicative[1], qui n'exclut pas une dignité un tantinet[2] bourgeoise. Aux nigauds qui nous confondent de bonne foi et la complimentent sur ses talents de mime, elle répond, raide : « Ce n'est pas moi qui joue la pantomime[3], c'est Colette. » Claudine n'aime pas le music-hall.

Devant son parti pris d'indifférence, je me tais. Je me tais pour aujourd'hui seulement ; mais je reviendrai à la charge ! Je lutterai ! Je serai forte, contre ce *double* qui me regarde, d'un visage voilé par le crépuscule... Ô mon double orgueilleux ! Je ne me parerai plus de ce qui est à vous... À vous seule, ce pur renoncement qui veut qu'après Renaud finisse toute vie sentimentale[4] ! À vous, cette noble impudeur qui raconte ses penchants ; cette littéraire[5] charité conjugale qui vous fit tolérer les flirts nombreux de Renaud... À vous encore, non pas à moi, cette forteresse de solitude où, lentement, vous vous consumez... Voici que vous avez, tout en haut de votre âme, découvert une retraite qui défie l'envahisseur... Demeurez-y ironique et douce, et laissez-moi ma part d'incertitude, d'amour, d'activité stérile, de paresse savoureuse, laissez-moi ma pauvre petite part humaine, qui a son prix !

Vous avez, Claudine, écrit l'histoire d'une partie de votre vie, avec une franchise rusée qui passionna, pour un temps, vos amis et vos ennemis. Du pavé gras et fertile de Paris, du fond de la province endormie et parfumée, jaillirent, comme autant de diablesses, mille et mille Claudines qui nous ressemblaient à toutes deux[6]. Ronde criarde de fem-

---

1. Cf. note 3, p. 84. — **2.** Locution familière : un petit peu. — **3.** Cf. note 3, p. 59. — **4.** Colette évoque ici un épisode de *Claudine s'en va*. — **5.** L'adjectif, ici péjoratif, suggère que cette charité n'existe que dans les romans. — **6.** Colette évoque discrètement Polaire, la jeune femme qui interpréta Claudine sur scène à partir de 1902. Dans *Mes apprentissages*, Colette rend hommage à l'interprète : « Ce que fit Polaire de Claudine est inoubliable. Ses erreurs même, ses résistances aux auteurs et metteur en scène lui donnèrent raison devant le public, elle ne s'est trompée qu'heureusement. Elle montra à réclamer le rôle une obstination d'illuminée : "Non, Meussieur Vili, non, Claudine ce n'est pas Une-Telle, ni Madame Chose, ni Mademoiselle Truc ou Machin Chouette... Non, Meussieur Vili, Claudine, c'est moi." Par ailleurs, Colette et Polaire se ressemblent : "Polaire et moi nous avons l'oreille très loin du nez, c'est vrai, et les yeux horizontaux." »

mes-enfants, court-vêtues, libérées, par un coup de ciseaux, de leur natte enrubannée ou de leur chignon lisse, elles assaillirent nos maris grisés, étourdis, éblouis... Vous n'aviez pas prévu, Claudine, que votre succès causerait votre perte. Hélas ! je ne puis vous en garder rancune, mais...

— Mais n'avez-vous jamais, continué-je tout haut, souhaité avec véhémence de porter une robe longue et les cheveux en bandeaux plats ?

Les joues de Claudine se creusent d'un sourire, elle a suivi ma pensée.

— Oui, avoue-t-elle. Mais c'était pure taquinerie contradictoire. Et puis, que venez-vous me parler d'imitatrices ? J'admire votre inconscience, Colette. Vous avez coupé votre traîne de cheveux [1] après moi, s'il vous plaît !

Je lève les bras au ciel.

— Seigneur ! en sommes-nous là ! Vous allez me chercher chicane pour des niaiseries de cet ordre ? Ceci est à moi — ceci est à toi... Nous avons l'air de jouer *La Robe* — ô mon enfance ! — *La Robe*, du regretté Eugène Manuel [2] !

— Ô notre enfance... soupire Claudine...

Ah ! j'en étais sûre ! Claudine ne résiste jamais à une évocation du passé. À ces seuls mots : « Vous souvenez-vous ? » elle se détend, se confie, s'abandonne toute... À ces seuls mots : « Vous souvenez-vous ? » elle incline la tête, les yeux guetteurs, l'oreille tendue comme vers un murmure de fontaines invisibles... Encore une fois le charme opère :

— Quand nous étions petites, commence-t-elle...

Mais je l'arrête :

— Parlez pour vous, Claudine. Moi, je n'ai jamais été petite.

Elle se rapproche d'un sursaut de reins sur le divan, avec

---

1. Colette n'a coupé ses cheveux que tardivement, Sido lui reprocha son geste : « Tes cheveux ne t'appartenaient pas, ils étaient mon œuvre, l'œuvre de vingt ans de soins. Tu as disposé d'un dépôt précieux que je t'avais confié. » (*Mes Apprentissages*). — 2. Dans *Claudine à l'école*, lors d'une visite de l'inspecteur Blanchet, Mademoiselle Sergent, l'institutrice, fait réciter *La Robe* « du pleurard Manuel ». Colette jeune a sans doute pratiqué les œuvres d'Eugène Manuel, homme politique, inspecteur général, également auteur de poèmes édifiants.

cette brusquerie de bête qui fait craindre la morsure ou le coup de corne. Elle m'interroge, me menace de son menton triangulaire :

— Quoi ! Vous prétendez n'avoir jamais été petite ?

— Jamais. J'ai grandi, mais je n'ai pas été petite. Je n'ai jamais changé. Je me souviens de moi avec une netteté, une mélancolie qui ne m'abusent point. Le même cœur obscur et pudique, le même goût passionné pour tout ce qui respire à l'air libre et loin de l'homme — arbre, fleur, animal peureux et doux, eau furtive des sources inutiles —, la même gravité vite muée[1] en exaltation sans cause... Tout cela, c'est moi enfant et moi à présent... Mais ce que j'ai perdu, Claudine, c'est mon bel orgueil, la secrète certitude d'être une enfant précieuse, de sentir en moi une âme extraordinaire d'homme intelligent, de femme amoureuse, une âme à faire éclater mon petit corps... Hélas, Claudine, j'ai perdu presque tout cela, à ne devenir après tout qu'une femme... Vous vous souvenez du mot magnifique de notre amie Calliope[2], à l'homme qui la suppliait : « Qu'avez-vous fait de grand pour que je vous appartienne ? » Ce mot-là, je n'oserais plus le penser à présent, mais je l'aurais dit, quand j'avais douze ans. Oui, je l'aurais dit ! Vous n'imaginez pas quelle reine de la terre[3] j'étais à douze ans ! Solide, la voix rude, deux tresses trop serrées qui sifflaient autour de moi comme des mèches de fouet ; les mains roussies, griffées, marquées de cicatrices, un front carré de garçon que je cache à présent jusqu'aux sourcils... Ah ! que vous m'auriez aimée, quand j'avais douze ans, et comme je me regrette !

Mon Sosie sourit, d'un sourire sans gaieté, qui creuse ses joues sèches, ses joues de chat où il y a si peu de chair entre les tempes larges et les mâchoires étroites :

— Ne regrettez-vous que cela ? dit-elle. Alors je vous envierais entre toutes les femmes...

Je me tais, et Claudine ne semble pas attendre de

---

1. Du verbe muer, à l'origine, subir la mue. Désigne ici une transformation profonde. — 2. Calliope Van Langendonck est un personnage qui apparaît dans *Claudine à Paris*. Elle est une élégante et volage amie de Claudine. — 3. Colette, « enfant de la Nature », fait allusion au paganisme épanoui de son enfance, déjà évoqué dans « Rêverie de Nouvel An ».

réponse. Une fois encore, je sens que la pensée de mon cher Sosie a rejoint ma pensée, qu'elle l'épouse avec passion, en silence... Jointes, ailées, vertigineuses, elles s'élèvent comme les doux hiboux veloutés de ce crépuscule verdissant. Jusqu'à quelle heure suspendront-elles leur vol sans se disjoindre, au-dessus de ces deux corps immobiles et pareils, dont la nuit lentement dévore les visages ?...

LA DAME QUI CHANTE [1]

La dame qui allait chanter se dirigea vers le piano, et je me sentis tout à coup une âme féroce, une révolte concentrée et immobile de prisonnier. Pendant qu'elle fendait difficilement les jupes assises, sa robe collée aux genoux comme une onde bourbeuse [2], je lui souhaitais la syncope, la mort, ou même la rupture simultanée de ses quatre jarretelles [3]. Il lui restait encore quelques mètres à franchir ; trente secondes, l'espace d'un cataclysme... Mais elle marcha sereine sur quelques pieds vernis, effrangea [4] la dentelle d'un volant, murmura « Pardon », salua et sourit, la main déjà sur l'obscur palissandre [5] du Pleyel [6] aux reflets de Seine nocturne. Je commençai à souffrir.

J'aperçus, à travers le brouillard dansant dont se nimbent [7] les lustres des soirées finissantes, le dos arqué de mon gros ami Maugis [8], son bras arrondi qui défendait contre les coudes un verre plein... Je sentis que je le haïssais d'être

---

1. La nouvelle paraît en 1908, dans l'édition originale des *Vrilles de la vigne*. — 2. L'onde désigne poétiquement l'eau, et plus particulièrement la mer. L'eau est ici bourbeuse car mêlée d'une boue noire et épaisse. — 3. Pièces de lingerie qui servent à maintenir les bas bien tendus. — 4. Du verbe effranger. Effiler sur les bords de façon à produire des franges. — 5. Variété de bois exotique très foncé et très dur, en vogue au XIXᵉ siècle. — 6. Piano de la marque Pleyel. — 7. Cf. note 4, p. 35. — 8 « Henry Maugis est peut-être la seule confidence que Monsieur Willy ait faite sur lui même [...]. Ce Maugis "tout allumé de vices paternels", amateur de femmes, d'alcools étrangers et de jeux de mots [...] — ce Maugis-là n'est pas de moi » *(Mes Apprentissages)*.

parvenu jusqu'à la salle du buffet, tandis que je m'étiolais [1], bloqué, assis de biais sur la canne dorée d'un siège fragile...

Avec une froideur insolente, je dévisageai la dame qui allait chanter, et je retins le ricanement d'une diabolique joie, à la trouver plus laide encore que je l'espérais.

Cuirassée de satin blanc métallique, elle portait haut une tête casquée de cheveux d'un blond violent et artificiel. Toute l'arrogance des femmes trop petites éclatait dans ses yeux durs, où il y avait beaucoup de bleu et pas assez de noir. Les pommettes saillantes, le nez mobile, ouvert, le menton solide et prêt à l'engueulade, tout cela lui composait une face carline [2], agressive, à qui, avant qu'elle eût parlé, j'eusse répondu : « Mange ! »

Et la bouche ! la bouche ! J'attachai ma contemplation douloureuse sur ces lèvres inégales, fendues à la diable [3] par un canif distrait. Je supputai la vaste ouverture qu'elles démasqueraient tout à l'heure, la qualité des sons que mugirait cet antre... Le beau gueuloir ! Par avance, les oreilles m'en sifflèrent, et je serrai les mâchoires.

La dame qui allait chanter se campa impudique, face à l'assistance, et se hissa dans son corset droit, pour faire saillir sa gorge en pommes. Elle respira fortement, toussa et se racla la gorge à la manière dégoûtante des grands artistes.

Dans le silence angoissé où grinçaient, punkas [4] minuscules, les armatures parfumées des éventails, le piano préluda. Et soudain une note aiguë, un cri vibrant troua ma cervelle, hérissa la peau de mon échine : la dame chantait. À ce premier cri, jailli du plus profond de sa poitrine, succéda la langueur d'une phrase, nuancée par le mezzo [5] le plus velouté, le plus plein, le plus tangible que j'eusse entendu jamais... Saisi, je relevai mon regard vers la dame qui chantait... Elle avait sûrement grandi depuis un instant. Les yeux larges ouverts et aveugles, elle contemplait quelque chose d'invisible vers quoi tout son corps s'élançait, hors de son armure de satin blanc... Le bleu de ses yeux avait noirci et

---

1. Du verbe étioler. Affaiblir, ici, se recroqueviller sur soi. — **2.** Face un peu écrasée à l'image du chien appelé carlin. — **3.** À la hâte, sans soin. — **4.** Aussi appelé *panca*. En Inde, désigne un grand éventail au plafond utilisé comme ventilateur. — **5.** Terme de musique, abréviation de *mezzo-soprano*.

sa chevelure, teinte ou non, la coiffait d'une flamme fixe, toute droite. Sa grande bouche généreuse s'ouvrait, et j'en voyais s'envoler les notes brûlantes, les unes pareilles à des bulles d'or, les autres comme de rondes roses pures... Des trilles[1] brillaient comme un ruisseau frémissant, comme une couleuvre fine ; de lentes vocalises me caressaient comme une main traînante et fraîche. Ô voix inoubliable ! Je me pris à contempler, fasciné, cette grande bouche aux lèvres fardées, roulées sur des dents larges, cette porte d'or des sons, cet écrin de mille joyaux... Un sang rose colorait les pommettes kalmoukes[2], les épaules enflées d'un souffle précipité, la gorge offerte... Au bas du buste tendu dans une immobilité passionnée, deux expressives petites mains tordaient leurs doigts nus... Seuls les yeux, presque noirs, planaient au-dessus de nous, au-dessus de tout, aveugles et sereins...

« Amour !... » chanta la voix... Et je vis la bouche irrégulière, humide et pourprée[3], se resserrer sur le mot en dessinant l'image d'un baiser... Un désir si brusque et si fou m'embrasa que mes paupières se mouillèrent de larmes nerveuses. La voix merveilleuse avait tremblé, comme étouffée d'un flot de sang, et les cils épais de la dame qui chantait battirent, une seule fois... Oh ! boire cette voix à sa source, la sentir jaillir entre les cailloux polis de cette luisante denture[4], l'endiguer une minute contre mes propres lèvres, l'entendre, la regarder bondir, torrent libre, et s'épanouir en longue nappe harmonieuse que je fêlerais d'une caresse... Être l'amant de cette femme que sa voix transfigure — et de cette voix ! Séquestrer pour moi — pour moi seul ! — cette voix plus émouvante que la plus secrète caresse, et le second visage de cette femme, son masque irritant et pudique de nymphe qu'un songe enivre !...

Au moment où je succombais de délice, la dame qui chantait se tut. Mon cri d'homme qui tombe se perdit dans un tumulte poli d'applaudissements, dans ces « ouao-ouao » qui signifient *bravo* en langue salonnière[5]. La dame

---

1. Cf. note 3, p. 26. — 2. De type mongol. — 3. De couleur rouge foncé. — 4. Placement des dents chez l'adulte. La dentition désigne, pour sa part, le processus de mise en place définitive de la denture. — 5. De salon.

qui chantait s'inclina pour remercier, en déroulant entre elle et nous un sourire, un battement de paupières qui la séparaient du monde. Elle prit le bras du pianiste et tenta de gagner une porte ; sa traîne de satin piétinée, écrasée, entravait[1] ses pas... Dieux ! allais-je la perdre ? Déjà je ne voyais plus d'elle qu'un coin de son armure blanche... Je m'élançai, sauvage, pareil en fureur dévastatrice à certains « rescapés » du bazar[2] de la rue Jean-Goujon...

Enfin, enfin, je l'atteignis, quand elle abordait le buffet, île fortunée, chargée de fruits et de fleurs, scintillante de cristaux et de vins pailletés.

Elle étendit la main, et je me précipitai, mes doigts tremblants offrant une coupe pleine... Mais elle m'écarta sans ménagements et me dit, atteignant une bouteille de bordeaux : « Merci bien, monsieur, mais le champagne m'est contraire surtout lorsque je sors de chanter. Il me retombe sur les jambes. Surtout que ces messieurs et dames veulent que je leur chante encore *La Vie et l'amour d'une femme*, vous pensez... » Et sa grande bouche — grotte d'ogre où niche l'oiseau merveilleux — se referma sur un cristal fin qu'elle eût, d'un sourire, broyé en éclats.

Je ne ressentis point de douleur, ni de colère. J'avais retenu seulement ceci : elle allait chanter encore... J'attendis, respectueux, qu'elle eût vidé un autre verre de bordeaux, qu'elle eût, d'un geste qui récure[3], essuyé les ailes de son nez, les coins déplorables de ses lèvres, aéré ses aisselles mouillées, aplati son ventre d'une tape sévère et affermi sur son front le « devant » postiche de ses cheveux oxygénés[4].

J'attendis, résigné, meurtri, mais plein d'espoir, que le miracle de sa voix me la rendît...

---

1. Du verbe entraver. Gêner, embarrasser dans ses mouvements. — 2. Il s'agit du bazar de la Charité, où un incendie se déclara en 1897 ; il y eut dix-sept morts. — 3. Du verbe récurer, nettoyer en frottant. Le terme est très prosaïque. — 4. Ici, décolorés.

EN BAIE DE SOMME [1]

I

Ce doux pays, plat et blond, serait-il moins simple que je l'ai cru d'abord ? J'y découvre des mœurs bizarres : on y pêche en voiture, on y chasse en bateau... « Allons, au revoir, la barque est prête, j'espère vous rapporter ce soir un joli rôti de bécassines [2]... » Et le chasseur s'en va, encaqué [3] dans son ciré jaune, le fusil en bandoulière... « Mes enfants, venez vite ! voilà les charrettes qui reviennent ! je vois les filets tout pleins de limandes pendus aux brancards ! » Étrange, pour qui ignore que le gibier s'aventure au-dessus de la baie et la traverse, du Hourdel au Crotoy [4], du Crotoy à Saint-Valery ; étrange, pour qui n'a pas grimpé dans une de ces carrioles à larges roues, qui mènent les pêcheurs tout le long des vingt-cinq kilomètres de la plage, à la rencontre de la mer...

*

Beau temps. On a mis tous les enfants à cuire ensemble sur la plage. Les uns rôtissent sur le sable sec, les autres mijotent au bain-marie dans les flaques chaudes. La jeune maman, sous l'ombrelle de toile rayée, oublie délicieusement ses deux gosses et s'enivre, les joues chaudes, d'un roman mystérieux, habillé comme elle de toile écrue...

— Maman !...

— ...

— Maman, dis donc, maman !...

Son gros petit garçon, patient et têtu, attend, la pelle aux doigts, les joues sablées comme un gâteau...

— Maman, dis donc, maman...

Les yeux de la liseuse se lèvent enfin, hallucinés, et elle jette dans un petit aboiement excédé :

— Quoi ?

---

1. La nouvelle paraît en deux parties, le 5 octobre 1907, dans *La Vie parisienne*, sous le titre « En marge d'une plage blanche I » ; puis, le 5 septembre 1908, paraît « En marge d'une plage blanche II ». Le titre définitif est donné dans l'édition Ferenczi de 1934. — **2.** Petite bécasse des marécages, oiseau au bec très long. — **3.** Le mot dérive de « caque », qui désigne la caisse où l'on entrepose les harengs fumés ou salés ; familièrement, pressé, engoncé. — **4.** Le Crotoy, station de Haute Normandie, possède de fort belles plages.

— Maman, Jeannine est noyée.

— Qu'est-ce que tu dis ?

— Jeannine est noyée, répète le bon gros petit garçon têtu.

Le livre vole, le pliant tombe...

— Qu'est-ce que tu dis, petit malheureux ? ta sœur est noyée ?

— Oui. Elle était là, tout à l'heure, elle n'y est plus. Alors je pense qu'elle s'est noyée.

La jeune maman tourbillonne comme une mouette et va crier... quand elle aperçoit la « noyée » au fond d'une cuve de sable, où elle fouit[1] comme un ratier...

— Jojo ! tu n'as pas honte d'inventer des histoires pareilles pour m'empêcher de lire ? Tu n'auras pas de chou à la crème à quatre heures !

Le bon gros écarquille des yeux candides[2].

— Mais c'est pas pour te taquiner, maman ! Jeannine était plus là, alors je croyais qu'elle était noyée.

— Seigneur ! il le croyait ! ! ! et c'est tout ce que ça te faisait ?

Consternée, les mains jointes, elle contemple son gros petit garçon, par-dessus l'abîme qui sépare une grande personne civilisée d'un petit enfant sauvage...

*

Mon petit bull a perdu la tête. Aux trousses du bécasseau[3] et du pluvier à collier[3], il s'arrête, puis part follement, s'essouffle, plonge entre les joncs, s'enlise, nage et ressort bredouille, mais ravi et secouant autour de lui une toison imaginaire... Et je comprends que la mégalomanie[4] le tient et qu'il se croit devenu épagneul...

La Religieuse[5] et le chevalier Piedrouge[6] devisent avec l'Arlequin[7]. La Religieuse penche la tête, puis court, coquette, pour qu'on la suive, et pousse de petits cris... Le

---

1. Du verbe fouir, creuser. — 2. Innocents, naïfs. — 3. Oiseau migrateur qui vit en bordure de mer, dans des régions plutôt froides. — 4. Cf. note 1, p. 65. — 5. Oiseau des bords de mer, de la famille des bécassines. — 6. Variété d'oiseau d'eau. Le chevalier a le bec long et les doigts légèrement palmés. — 7. Oiseau aquatique de la famille des chevaliers.

chevalier Piedrouge, botté de maroquin orange, siffle d'un air cynique, tandis que l'Arlequin, fuyant et mince, les épie...

Ô lecteur vicieux, qui espérez une anecdote dans le goût grivois[1] et suranné[2], détrompez-vous : je vous conte seulement les ébats de trois jolis oiseaux de marais.

Ils ont des noms charmants, ces oiseaux de la mer et du marécage. Des noms qui fleurent la comédie italienne, voire le roman héroïque — comme le Chevalier Combattant, ce guerrier d'un autre âge, qui porte plastron[3] et collerette[4] hérissée, et cornes de plumes sur le front. Plastron vulnérable, cornes inoffensives, mais le mâle ne ment pas à son nom, car les Chevaliers Combattants s'entre-tuent sous l'œil paisible de leurs femelles, harem indifférent accroupi en boule dans le sable...

*

Dans un petit café du port, les pêcheurs attendent, pour repartir, le flot qui monte et déjà chatouille sournoisement la quille des bateaux, échoués de biais sur le sable au bas du quai. Ce sont des pêcheurs comme partout, en toile goudronnée, en tricot bleu, en sabots camus[5]. Les vieux ont le collier de barbe et la pipe courte... C'est le modèle courant, vulgarisé par la chromolithographie[6] et l'instantané.

Ils boivent du café et rient facilement, avec ces clairs yeux vides de pensée qui nous charment, nous autres terriens. L'un d'eux est théâtralement beau, ni jeune ni vieux, crépu d'une toison et d'une barbe plus pâle que sa peau tannée[7], avec des yeux jaunes, des prunelles de chèvre rêveuse qui ne clignent presque jamais.

La mer est montée, les bateaux dansent dans la baie, au bout de leurs amarres, et trinquent du ventre[8]. Un à un, les

---

1. Libre et hardi, sans être obscène. — **2.** Qui est désuet, démodé. — **3.** Empiècement de tissu, placé sur le devant d'une chemise. — **4.** Volant plissé ou froncé, placé à l'encolure d'un vêtement. Ces éléments appartiennent au vêtement humain, ainsi ils « humanisent » les oiseaux. — **5.** Les sabots ont le bout très arrondi. — **6.** Impression lithographique en couleur. — **7.** La peau a l'aspect du cuir tanné. — **8.** Les coques des bateaux s'entrechoquent comme des verres.

pêcheurs s'en vont, et serrent la patte du beau gars aux yeux d'or : « À revoir, Canada. » À la fin, Canada reste seul dans le petit café, debout, le front aux vitres, son verre d'eau-de-vie à la main... Qu'attend-il ? Je m'impatiente et me décide à lui parler :

— Ils vont loin comme ça ?

Son geste lent, son vaste regard désignent la haute mer :

— Par là-bas. Y a bien de la crevette ces jours-ci. Y a bien de la limande et du maquereau, et de la sole... Y a bien un peu de tout...

— Vous ne pêchez pas aujourd'hui, vous ?

Les prunelles d'or se tournent vers moi, un peu méprisantes :

— Je ne suis pas pêcheur, ma petite dame. Je travaille *(sic)* avec le photographe pour les cartes postales. Je suis « type local ».

II

BAIN DE SOLEIL. — « Poucette, tu vas te cuire le sang ! viens ici tout de suite ! » Ainsi apostrophée du haut de la terrasse, la chienne bull lève seulement son museau de monstre japonais couleur de bronze. Sa gueule, fendue jusqu'à la nuque, s'entrouvre pour un petit halètement court et continu, fleurie d'une langue frisée, rose comme un bégonia. Le reste de son corps traîne, écrasé comme celui d'une grenouille morte... Elle n'a pas bougé ; elle ne bougera pas, elle cuit...

Une brume de chaleur baigne la baie de Somme, où la marée de morte-eau palpite à peine, plate comme un lac. Reculée derrière ce brouillard moite et bleu, la Pointe de Saint-Quentin semble frémir et flotter, inconsistante comme un mirage... La belle journée à vivre sans penser, vêtue seulement d'un maillot de laine !

... Mon pied nu tâte amoureusement la pierre chaude de la terrasse, et je m'amuse de l'entêtement de Poucette, qui continue sa cure de soleil avec un sourire de suppliciée... « Veux-tu venir ici, sotte bête ! » Et je descends l'escalier dont les derniers degrés[1] s'enlisent, recouverts d'un sable

---

1. Les dernières marches.

plus mobile que l'onde[1], ce sable vivant qui marche, ondule, se creuse, vole et crée sur la plage, par un jour de vent, des collines qu'il nivelle le lendemain...

La plage éblouit et me renvoie au visage, sous ma cloche de paille rabattue jusqu'aux épaules, une chaleur montante, une brusque haleine de four ouvert. Instinctivement, j'abrite mes joues, les mains ouvertes, la tête détournée comme devant un foyer trop ardent... Mes orteils fouillent le sable pour trouver, sous cette cendre blonde et brûlante, la fraîcheur salée, l'humidité de la marée dernière...

Midi sonne au Crotoy, et mon ombre courte se ramasse à mes pieds, coiffée d'un champignon...

Douceur de se sentir sans défense et, sous le poids d'un beau jour implacable, d'hésiter, de chanceler une minute, les mollets criblés[2] de mille aiguilles, les reins fourmillants sous le tricot bleu, puis de glisser sur le sable, à côté de la chienne qui bat de la langue !

Couchée sur le ventre, un linceul[3] de sable me couvre à demi. Si je bouge, un fin ruisseau de poudre s'épanche au creux de mes jarrets, chatouille la plante de mes pieds... Le menton sur mes bras croisés, le bord de la cloche de jonc borne mes regards et je puis à mon aise divaguer, me faire une âme nègre à l'ombre d'une paillote[4]. Sous mon nez, sautent, paresseusement, trois puces de mer, au corps de transparente agate[5] grise... Chaleur, chaleur... Bourdonnement lointain de la houle qui monte ou du sang dans mes oreilles ?... Mort délicieuse et passagère, où ma pensée se dilate, monte, tremble et s'évanouit avec la vapeur azurée qui vibre au-dessus des dunes...

À MARÉE BASSE. — Des enfants, des enfants... Des gosses, des mioches, des bambins, des lardons, des salés... L'argot ne saurait suffire, ils sont trop ! Par hasard, en retournant à ma villa isolée et lointaine, je tombe dans cette

---

1. Cf. note 3 p. 102. — **2.** Percés de petits trous, comme avec des aiguilles. — **3.** Pièce de tissu dans laquelle on ensevelit le mort. — **4.** Hutte couverte de paille que l'on trouve dans les pays chauds. — **5.** Variété de quartz.

grenouillère, dans cette tiède cuvette que remplit et laisse, chaque jour, la mer...

Jerseys rouges, jerseys bleus, culottes troussées, sandales ; — cloches de paille, bérets, charlottes[1] de lingerie ; — seaux, pelles, pliants, guérites[2]... Tout cela, qui devrait être charmant, m'inspire de la mélancolie. D'abord ils sont trop ! Et puis, pour une jolie enfant en pomme[3] joufflue et dorée, d'aplomb sur des mollets durs, que de petits Parigots[4], victimes d'une foi maternelle et routinière : « La mer, c'est si bon pour les enfants ! » Ils sont là, à demi nus, pitoyables dans leur maigreur nerveuse, gros genoux, cuissots de grillons, ventres saillants... Leur peau délicate a noirci, en un mois, jusqu'au marron-cigare ; c'est tout, et ça suffit. Leurs parents les croient robustes, ils ne sont que teints. Ils ont gardé leurs grands yeux cernés, leurs piètres joues. L'eau corrosive[5] pèle leurs mollets pauvres, trouble leur sommeil d'une fièvre quotidienne, et le moindre accident déchaîne leur rire ou leurs larmes faciles de petits nerveux passés au jus de chique[6]...

Pêle-mêle, garçons et filles, on barbote, on mouille le sable d'un « fort », on canalise l'eau d'une flaque salée... Deux « écrevisses » en jersey rouge travaillent côte à côte, frère et sœur du même blond brûlé, peut-être jumeaux de sept à huit ans. Tous deux, sous le bonnet à pompon, ont les mêmes yeux bleus, la même calotte[7] de cheveux coupés au-dessus des sourcils. Pourtant l'œil ne peut les confondre et, pareils, ils ne se ressemblent pas.

Je ne saurais dire par quoi la petite fille est déjà une petite fille... Les genoux gauchement et fémininement tournés un peu en dedans ?... Quelque chose, dans les hanches à peine indiquées, s'évase plus moelleux, avec une grâce involontaire ? Non, c'est surtout le geste qui la révèle. Un petit bras nu, impérieux, commente et dessine tout ce

---

1. Chapeaux féminins souples dont le bord était orné de volants. — 2. Abris en bois de la taille d'un homme debout. — 3. Les joues de la fillette ont la forme (joufflue) et la couleur (dorée) d'une pomme. — 4. Expression familière et péjorative pour « Parisiens ». — 5. Qui ronge, qui attaque. — 6. Jus de tabac, qui est d'un brun très foncé. — 7. Les cheveux forment une sorte de petit bonnet qui ne couvre que le sommet du crâne.

qu'elle dit. Elle a une volte[1] souple du poignet, une mobilité des doigts et de l'épaule, une façon coquette de camper son poing au pli de sa taille future...

Un moment, elle laisse tomber sa pelle et son seau, arrange je ne sais quoi sur sa tête ; les bras levés, le dos creux et la nuque penchée, elle devance, gracieuse, le temps où elle nouera, ainsi debout et cambrée, le tulle[2] de sa voilette devant le miroir d'une garçonnière[3]...

FORÊT DE CRÉCY[4]. — À la première haleine de la forêt, mon cœur se gonfle. Un ancien moi-même se dresse, tressaille d'une triste allégresse, pointe les oreilles, avec des narines ouvertes pour boire le parfum.

Le vent se meurt sous les allées couvertes, où l'air se balance à peine, lourd, musqué[5]... Une vague molle de parfum guide les pas vers la fraise sauvage, ronde comme une perle, qui mûrit ici en secret, noircit, tremble et tombe, dissoute lentement en suave pourriture framboisée dont l'arôme se mêle à celui d'un chèvrefeuille verdâtre, poissé de miel, à celui d'une ronde de champignons blancs... Ils sont nés de cette nuit, et soulèvent de leurs têtes le tapis craquant de feuilles et de brindilles... Ils sont d'un blanc fragile et mat de gant neuf, emperlés, moites comme un nez d'agneau ; ils embaument la truffe fraîche et la tubéreuse[6].

Sous la futaie[7] centenaire, la verte obscurité solennelle ignore le soleil et les oiseaux. L'ombre impérieuse des chênes et des frênes a banni du sol l'herbe, la fleur, la mousse et jusqu'à l'insecte. Un écho nous suit, inquiétant, qui double le rythme de nos pas... On regrette le ramier[8], la mésange ; on désire le bond roux d'un écureuil ou le lumineux petit derrière des lapins... Ici la forêt, ennemie de l'homme, l'écrase.

Tout près de ma joue, collé au tronc de l'orme où je m'adosse, dort un beau papillon crépusculaire dont je sais le nom : lychénée... Clos, allongé en forme de feuille, il

---

1. Cf. note 3, p. 76. — 2. Tissu fin et léger qui forme de petites mailles rondes. — 3. Appartement de garçon. — 4. Située à une dizaine de kilomètres du Crotoy. — 5. Cf. note 12, p. 30. — 6. Plante à bulbe cultivée pour la parfumerie. — 7. Groupe d'arbres de haute taille. — 8. Variété de pigeon.

attend son heure. Ce soir, au soleil couché, demain, à l'aube
trempée, il ouvrira ses lourdes ailes bigarrées [1] de fauve, de
gris et de noir. Il s'épanouira comme une danseuse tour-
noyante, montrant deux autres ailes plus courtes, éclatantes,
d'un rouge de cerise mûre, barrées de velours noir ; — dessous voyants, juponnage de fête et de nuit qu'un manteau
neutre, durant le jour, dissimule...

PARTIE DE PÊCHE [2]

VENDREDI. — Marthe [3] dit : « Mes enfants, on va pêcher
demain à la Pointe !... Café au lait pour tout le monde à huit
heures. L'auto plaquera [4] ceux qui ne seront pas prêts ! » Et
j'ai baissé la tête et j'ai dit : « Chouette ! » avec une joie
soumise qui n'exclut pas l'ironie. Marthe, créature comba-
tive, inflige les félicités [5] d'un ton dur et d'un geste coupant.
Péremptoire, elle complète le programme des fêtes : « On
déjeunera là-bas, dans le sable. On emmène vous, et puis
le Silencieux qui va rafler tout le poisson, et puis Maggie
pour qu'elle étrenne son beau costume de bain ! »

Là-dessus, elle a tourné les talons. Je vois de loin, sur la
terrasse qui domine la mer, son chignon roux, qui interroge
l'horizon d'un air de menace et de défi. Je crois comprend-
dre, au hochement de son petit front guerrier, qu'elle murmure : « Qu'il pleuve demain, et nous verrons !... » Elle
rentre, et, délivré du poids de son regard, le soleil peut se
coucher tranquillement au-delà de la baie de Somme, désert
humide et plat où la mer, en se retirant, a laissé des lacs
oblongs, des flaques rondes, des canaux vermeils où bai-
gnent les rayons horizontaux... La dune est mauve, avec

1. Cf. note 3, p. 57. — 2. La nouvelle paraît le 14 septembre 1907, dans *La
Vie parisienne*. — 3. Elle est, dans *Claudine s'en va*, la belle-sœur de Claudine.
Cynique et sans scrupule, maîtresse du « gros Maugis », elle y fait preuve d'une
égale autorité, et entraîne Claudine à Bayreuth, comme elle entraîne ici la narratrice à la pêche. — 4. Plaquer : quitter soudainement. — 5. Du latin *felix* :
grand bonheur. Le mot vaut par le contraste qu'il forme avec le verbe infliger.

une rare chevelure d'herbe bleuâtre, des oasis de liserons délicats dont le vent déchire, dès leur éclosion, la jupe-parapluie veinée de rose...

Les chardons de sable, en tôle azurée, se mêlent à l'arrête-bœuf[1] fleuri de carmin, l'arrête-bœuf, qui pique d'une épine si courte qu'on ne se méfie pas de lui. Flore pauvre et dure, qui ne se fane guère et brave le vent et la vague salée, flore qui sied à notre petite hôtesse batailleuse, ce beau chardon roux, au regard d'écolier sans vergogne[2].

Pourtant, çà et là, verdit la criste-marine[3], grasse, juteuse, acidulée, chair vive et tendre de ces dunes pâles comme la neige... Quand cette poison de Marthe, mon amie, a exaspéré tout le monde, quand on est tout près — à cause de sa face de jeune furie, de sa voix de potache[4] — d'oublier qu'elle est une femme, alors Marthe rit brusquement, rattache une mèche rousse envolée, en montrant des bras clairs, luisants, dans lesquels on voudrait mordre et qui craqueraient, frais, acidulés et juteux sous la dent comme la criste-marine.

La baie de Somme, humide encore, mire sombrement un ciel égyptien, framboise, turquoise et cendre verte. La mer est partie si loin qu'elle ne reviendra peut-être plus jamais ?... Si, elle reviendra, traîtresse et furtive comme je la connais ici. On ne pense pas à elle ; on lit sur le sable, on joue, on dort, face au ciel — jusqu'au moment où une langue froide, insinuée entre vos orteils, vous arrache un cri nerveux : la mer est là, toute plate, elle a couvert ses vingt kilomètres de plage avec une vitesse silencieuse de serpent. Avant qu'on l'ait prévue, elle a mouillé le livre, noirci la jupe blanche, noyé le jeu de croquet[5] et le tennis. Cinq minutes encore, et la voilà qui bat le mur de la terrasse, d'un flac-flac doux et rapide, d'un mouvement soumis et content de chienne qui remue la queue...

Un oiseau noir jaillit du couchant, flèche lancée par le soleil qui meurt. Il passe au-dessus de ma tête avec un cris-

---

1. Plante ainsi nommée parce que ses racines arrêtent le soc des charrues. — 2. Cf. note 2, p. 86.— 3. Menue herbe marine. — 4. Familièrement, collégien ou lycéen. — 5. Jeu, au départ aristocratique, qui consiste à faire passer des boules de bois sous des arceaux métalliques.

sement de soie tendue et se change, contre l'est obscur, en goéland de neige...

SAMEDI MATIN, *8 heures*. — Brouillard bleu et or, vent frais, tout va bien. Marthe pérore[1] en bas et les peuples tremblent prosternés. Je me hâte ; arriverai-je à temps pour l'empêcher de poivrer à l'excès la salade de pommes de terre ?

8 h. 1/2. — Départ ! l'auto ronronne, pavoisée[2] de haveneaux[3] flottants. Du fond d'un imperméable verdâtre, de dessous une paire de lunettes bombées, la voix de Marthe vitupère[4] le zèle maladroit des domestiques, « ces empotés qui ont collé les abricots contre le rôti de porc frais ! ». Pourtant, elle condescend à me tendre une patte gantée, et je devine qu'elle me sourit avec une grâce scaphandrière[5]... Maggie, mal éveillée, prend lentement conscience du monde extérieur et sourit en anglais. Nous savons tous qu'elle cache, sous son long paletot, un costume de bain pour music-hall (tableau de la pêche aux crevettes). Le Silencieux, qui ne dit rien, fume avec activité.

8 h. 3/4. — Sur la route plate, qui se tortille inutilement et cache, à chaque tournant, un paysan et sa charrette, Marthe, au volant, freine un peu brusquement et grogne dans son scaphandre...

8 h. 50. — Tournant brusque, paysan et charrette... Embardée sur la gauche. Marthe crie : « Cocu ! »

9 heures. — Tournant brusque : au milieu de la route, petit garçon et sa brouette à crottin. Embardée à droite. Marthe frôle le gamin et lui crie : « Cocu ! » Déjà ! pauvre gosse...

9 h. 20. — La mer, à gauche, entre des dunes arrondies. Quand je dis la mer... elle est encore plus loin qu'hier soir. Mes compagnons m'assurent qu'elle est montée, pendant mon sommeil, jusqu'à cette frange de petites coquilles roses, mais je n'en crois rien.

9 h. 30. — Les Cabanes ! Trois ou quatre cercueils noirs,

---

1. Du verbe pérorer. Discourir longuement, et avec prétention. — 2. Orner un navire de pavillons ; ici, le navire est une voiture, et les pavillons des haveneaux. — 3. Petits filets qui servent à pêcher les crevettes. — 4. Du verbe vitupérer. Proférer des injures, des récriminations. — 5. Expression ironique qui souligne paradoxalement le défaut de grâce.

en planches goudronnées, tachent la dune, la dune d'un
sable si pur ici, si délicatement mamelonné par le vent,
qu'on songe à la neige, à la Norvège, à des pays où l'hiver
ne finit point...

> Dans un immobile roulis
> Le sable fin creuse une alcôve
> Où, malgré les cris de la mauve,
> On peut se blottir, et, pour lits,
> La dune a de charmants replis...

murmure le Silencieux, poète modeste. Marthe, excitée, se
penche sur le volant et... enlise deux roues de l'auto. Plus
vive qu'un petit bull, elle saute à terre, constate le dom-
mage et déclare avec calme : « C'est aussi bien comme ça,
d'ailleurs. Je n'aurais pas pu tourner plus loin. »

Nous avons atteint le bout du monde. La dune, toute nue,
abrite entre ses genoux ronds les cabanes noires, et devant
nous fuit le désert qui déçoit et réconforte, le désert sous
un soleil blanc, dédoré par la brume des jours trop chauds...

10 heures. — « Tribu papoue conjurant l'Esprit des Eaux
amères. » C'est la légende que j'écrirai au verso de l'instantané que vient de prendre Maggie. Les « indigènes », à têtes
de phoques mouillés, dans l'eau jusqu'au ventre, la battent
avec de longues perches, en hurlant rythmiquement. Ils
rabattent le poisson dans le filet tendu en travers d'un grand
lac allongé, un grand bout de mer qu'abandonne ici la
marée négligente. Le carrelet [1] y grouille, et la crevette
grise, et le flet [1] et la limande [1]... Marthe s'y rue et fouit [2]
les rives de sable mouvant, avec une activité de bon ratier [3].
Je l'imite, à pas précautionneux d'abord, car toute ma peau
se hérisse, à sentir passer entre mes chevilles quelque chose
de plat, vif et glissant...

— À vous ! à vous, bon Dieu ! vous ne la voyez donc
pas ?

— Quoi ?

— La limande, la limande, là !... »

Là ?... Oui, une assiette plate nacrée, qui miroite et file

---

1. Variétés de poissons. — 2. Cf. note 1, p. 107. — 3. Chien de petite taille
dressé à chasser le rat.

entre deux eaux... Héroïque, je fouille le fond de l'eau, à
quatre pattes, à plat ventre, traînée sur les genoux... Un bref
jappement : c'est Marthe qui crie de triomphe et lève au
bout de son bras ruisselant l'assiette plate qui se tord et
fouette... Je crèverai de jalousie, si je reviens bredouille !
Où est le Silencieux ? oh ! le lâche, il pêche au haveneau !
Et Maggie ? ça va bien, elle nage, soucieuse uniquement
de sa plastique et de son maillot de soie framboise... C'est
contre Marthe seule que je lutte, Marthe et son calot[1] de
cheveux rouges collés, Marthe ficelée dans du gros jersey
bleu, petit mathurin[2] à croupe ronde... Les bêtes, les bêtes,
je les sens, elles me narguent ! Un gros lançon de nacre
jaillit du sable mou, dessine en l'air, de sa queue de serpent,
un monogramme[3] étincelant et replonge...

11 heures. — La tribu papoue a fini ses conjurations.
L'Esprit des Eaux amères, sensible aux hurlements rituels,
a comblé de poissons plats leurs filets. Sur le sable, captives
encore des mailles goudronnées, agonisent de belles plies
au ventre émouvant, l'insipide flet, les carrelets éclaboussés
d'un sang indélébile... Mais je ne veux que la proie traquée
par mes seules mains écorchées, entre mes genoux écaillés[4]
par le sable et les coquilles tranchantes... Le carrelet, je le
connais à présent, c'est un gros serin[5] qui pique du nez
droit entre mes chevilles jointes et s'y bloque — la limande
n'est pas plus maligne... Nous pêchons côte à côte, Marthe
et moi, et le même jappement nous échappe, quand la prise
est belle...

11 h. 1/2. — Le soleil cuit nos nuques, nos épaules qui
émergent de l'eau tiède et corrosive[6]... La vague, sous nos
yeux fatigués, danse en moires[7] glauques, en bagues
dorées, en colliers rompus... Aïe, mes reins !... Je cherche
mes compagnons muets ; le Silencieux arrive, juste comme
Marthe, à bout de forces, gémit : « J'ai faim ! »... Le Silencieux fume, et son gros cigare ne lui laisse que la place
d'un sourire d'orgueil. Il tend vers nous son haveneau
débordant de nacres vivantes...

---

1. Petit chapeau sans bord. — 2. Matelot dans l'argot des marins. — 3. Réunion
de plusieurs lettres en un seul caractère, signe que les artistes apposent au bas de leurs
œuvres. — 4. Dont la peau se détache par écailles. — 5. Niais, qui croit tout ce qu'on
lui dit. — 6. Cf. note 5, p. 111. — 7. Étoffes ondées et chatoyantes.

Maggie vient à son tour, ravie d'elle-même : elle a pris sept crevettes et un enfant de sole...

— À la soupe, les enfants ! crie Marthe. Les indigènes charrieront le gibier jusqu'à l'auto.

— Oh ! on va emporter tout ? il y en a au moins cinquante livres !

— D'abord, ça fond beaucoup à la cuisson. On en mangera ce soir en friture, demain matin au gratin, demain soir au court-bouillon... Et puis on en mangera à la cuisine, et on en donnera peut-être aux voisins...

1 heure. — Assis sous la tente, nous déjeunons lentement, dégrisés... Là-bas, au bout du désert aveuglant et sans ombre, quelque chose bout mystérieusement, ronronne et se rapproche — la mer !... Le champagne ne nous galvanise[1] pas, la migraine plane sur nos têtes laborieuses...

Nous nous contemplons sans aménité[2]. Marthe a pincé un coup de soleil sur son petit nez de bull. Le Silencieux bâille et mâche son cinquième cigare. Maggie nous choque un peu, trop blanche et trop nue, dans son maillot framboise...

— Qu'est-ce qui sent comme ça ? s'écrie Marthe. Ça empeste le musc, et je ne sais quoi encore...

— Mais c'est le poisson ! Les filets pleins pendent là...

— Mes mains aussi empestent. C'est le flet qui sent cette pourriture musquée[3]... Si on donnait un peu de poisson à ces braves indigènes[4] ?...

2 heures. — Retour morne. Nous flairons nos mains à la dérobée. Tout sent le poisson cru : le cigare du Silencieux, le maillot de Maggie, la chevelure humide de Marthe... Le vent d'Ouest, mou et brûlant, sent le poisson... La fumée de l'auto, et la dune glacée d'ombre bleue, et toute cette journée, sentent le poisson...

3 heures. — Arrivée. La villa sent le poisson. Farouche, le cœur décroché, Marthe s'enferme dans sa chambre. La cuisinière frappe à la porte :

---

1. Du verbe galvaniser. Donner une énergie passagère, exalter. — **2.** Sans douceur ni amabilité. — **3.** Cf. note 12, p.30. — **4.** Originaires du pays. Le mot s'est appliqué plus particulièrement aux habitants des pays d'outremer, mais il désigne bien ici, non sans condescendance, les familles de pêcheurs.

— Madame veut-elle me dire si elle veut les limandes frites ou gratinées ce soir ?

Une porte s'ouvre furieusement et la voix de Marthe vocifère :

— Vous allez me faire le plaisir de faire disparaître de la maison toute cette cochonnerie de marée ! Et pendant une semaine je vous défends de servir autre chose que des œufs à la coque et du poulet rôti !

MUSIC-HALLS [1]

On répète en costume, à l'X... une pantomime [2] que les communiqués prévoient « sensationnelle ». Le long des couloirs qui fleurent le plâtre et l'ammoniaque, au plus profond de l'orchestre, abîme indistinct, circulent et se hâtent d'inquiétantes larves... Rien ne marche. Pas fini, le décor trop sombre qui boit la lumière et ne la rend pas ; mal réglés, les jeux de halo du projecteur — et cette fenêtre rustique enguirlandée de vigne rousse, qui s'ouvre de bonne grâce, mais refuse de se clore !...

Le mime W [3]... surmené, fait sa dame-aux-camélias [4], la main sur l'estomac pour contenir une toux rauque ; il tousse à effrayer, il tousse à en mourir, avec des saccades de mâchoires d'un dramatique !... Le petit amoureux s'est, dans son trouble, grimé [5] en poivrot, nez rouge et oreilles blafardes, ce pour quoi il s'entend nommer, par l'organe expirant du mime W... « fourneau, cordonnier », et même « vaseline... ». Rien ne marche, rien ne marchera !

Le patron est là, sur le plateau, le gros commanditaire [6] aussi, celui qui ne se déplace que pour les « numéros » coûteux. Le compositeur — un grand type mou qui a l'air de n'avoir d'os nulle part —, laissant toute espérance, a

---

1. La nouvelle paraît le 4 janvier 1908, dans *La Vie parisienne*. Colette évoque également cette époque de sa vie dans *L'Envers du music-hall*. — **2.** Cf. note 3, p. 59. — **3.** Georges Wague, professeur et partenaire de Colette. — **4.** Roman d'Alexandre Dumas fils, écrit en 1848. — **5.** Terme littéraire : maquillé. — **6.** Il s'agit du personnage qui a fourni les fonds afin de monter le spectacle.

Colette et Georges Wague dans *La Chair*,
mimodrame de Georges Wague (1907).
(© *Roger-Viollet*)

dégoté, derrière un portant, le chaudron des répétitions, le piano exténué[1] aux sonorités liquides de mustel[2], et se nettoie les oreilles, comme il dit, avec un peu de Debussy...
« *Mes longs cheveux descendent jusqu'au bas de la tour...* »
Quant aux musiciens de l'orchestre, ils s'occupent, à coup sûr, d'améliorer en France la race chevaline ; de la contrebasse à la petite flûte, le *Jockey*[3] circule...

— Et Mme Loquette ? s'écrie le patron nerveux, on ne la voit pas souvent !

— Son costume n'est pas prêt, exhale le mime W... dans un souffle.

Le patron sursaute et aboie, au premier plan, la mâchoire tendue au-dessus de l'orchestre.

— Quoi ? qu'est-ce que vous dites ? Son costume pas prêt ? un costume à transformation, quand on passe ce soir ! C'est des coups à se faire emboîter, ça, mon petit !...

Geste d'impuissance du mime W..., geste peut-être d'adieu à la vie, il est si enrhumé !... Soudain, l'agonisant bondit comme un pelotari[4] et retrouve une voix de bedeau[5] pour beugler :

— N... de D... ! touchez pas à ça ! C'est mon lingue[6] à jus de groseilles !

Avec des mains d'infirmière, il manie et essaie son poignard truqué, accessoire de précision qui saigne des gouttes sirupeuses et rouges...

— Ah ! voilà madame Loquette ! enfin !

On se précipite, avec des exclamations de soulagement, vers la principale interprète. Le gros commanditaire assure son monocle. Mme Loquette, qui a froid, frissonne des coudes, et serre les épaules sous son costume peut-être monténégrin, sans doute croate, à coup sûr moldo-valaque, avec quelque chose de dalmate[7] dans l'allure générale... Elle a

---

1. Le piano est personnifié. Abîmé, il produit des sonorités comparables à celles d'un orgue. — 2. Du nom de son inventeur, le mustel, comme l'orgue, est un harmonium, un instrument à clavier et soufflerie. — 3. Quotidien fondé en 1864, spécialisé dans les courses de chevaux. — 4. Mot basque, joueur de pelote basque. — 5. Employé laïque chargé de maintenir le bon ordre dans l'église durant l'office, ou bien d'ouvrir le passage devant les processions. — 6. Mot d'argot, couteau. — 7. Le Monténégro, la Croatie, la Moldavie, la Valachie et la Dalmatie sont des provinces de l'ancien empire d'Autriche, situées en Europe centrale.

faim, elle vient de passer quatre heures debout chez Landolff, elle bâille d'agacement...

— Voyons ce fameux costume !

C'est une déception. « Trop simple ! » murmure le patron. « Un peu sombre ! » laisse tomber le gros commanditaire. L'auteur de la musique, oubliant *Pelléas*[1], s'approche, onduleux et désossé, et dit pâteusement : « C'est drôle, je ne le voyais pas comme ça... Moi, j'aurais aimé quelque chose de vert, avec de l'or, et puis avec un tas de machins qui pendent, des... fourbis, des... des zédipoifs[2], quoi ! »

Mais le mime W..., enchanté, déclare que ce rouge-rose fait épatamment valoir les feuille-morte et les gris de sa défroque[3] de contrebandier. Mme Loquette, les yeux ailleurs, ne répond rien et souhaite seulement, de toutes les forces de son âme, un sandwich au jambon, ou deux — ou trois —, avec de la moutarde...

Silence soucieux.

— Enfin, soupire le patron, voyons le dessous... Allez-y, W..., prenez votre scène au moment où vous lui arrachez sa robe...

Le bronchité, le pneumonique se transforme, d'un geste de son visage, en brute montagnarde, et se rue, poignard levé, sur Mme Loquette, l'affamée Loquette devenue brusquement une petite femelle traquée, haletante, les griffes prêtes... Ils luttent un court instant, la robe se déchire du col aux chevilles, Mme Loquette apparaît demi-nue, le cou renversé offert au couteau...

— Hep !... arrêtez-vous, mes enfants ! l'effet est excellent ! Pourtant, attendez...

Les hommes se rapprochent de la principale interprète. Silence studieux. Elle laisse, plus indifférente qu'une pouliche à vendre, errer leurs regards sur ses épaules découvertes, sur la jambe visible hors de la tunique fendue...

Le patron cherche, clappe des lèvres, ronchonne :

— Évidemment, évidemment... Ce n'est pas... Ce n'est pas assez... pas assez nu, là !

---

1. *Pelléas et Mélisande* a été représenté à l'Opéra-Comique en 1902. — **2.** Équivalent pittoresque de machin ou truc. — **3.** Familier : vêtement spécifique à tel ou tel corps de métier, ou telle ou telle époque.

La pouliche indifférente tressaille comme piquée par un taon.

— Pas assez nu ! qu'est-ce qu'il vous faut ?

— Eh ! il me faut... je ne sais pas, moi. L'effet est bon, mais pas assez éclatant, pas assez nu, je maintiens le mot ! Tenez, cette mousseline sur la gorge... C'est déplacé, c'est ridicule, c'est engonçant... Il me faudrait...

Inspiré, le patron recule de trois pas, étend le bras, et, d'une voix d'aéronaute quittant la terre :

— Lâchez un sein ! crie-t-il.

*

Même cadre. On répète la Revue. Une revue comme toutes les revues. C'est l'internement, de une à sept heures, de tout un pensionnat pauvre et voyant, bavard, empanaché — grands chapeaux agressifs, bottines dont le chevreau égratigné bleuit, jaquettes minces qu'on rehausse d'un tour de cou en fourrure...

Peu d'hommes. Les plus riches reluisent d'une élégance boutiquière, les moins fortunés tiennent le milieu entre le lad[1] et le lutteur. Quelques-uns s'en tiennent encore au genre démodé du rapin[2] d'opérette — beaucoup de cheveux et peu de linge, mais quels foulards !

Tous ont, en passant de la rue glaciale au promenoir, le même soupir de détente et d'arrivée, à cause de la bonne chaleur malsaine que soufflent les calorifères... Sur le plateau, le chaudron des répétitions fonctionne déjà, renforcé, pour les danses, d'un violon vinaigré. Treize danseuses anglaises se démènent, avec une froide frénésie. Elles dansent, dans cette demi-nuit des répétitions, comme elles danseront le soir de la générale, ni plus mal, ni mieux. Elles jettent, vers l'orchestre vide, le sourire enfantin, l'œil aguicheur et candide dont elles caresseront, à la première, les avant-scènes... Une conscience militaire anime leurs corps grêles et durs, jusqu'à l'instant de redevenir, le portant fran-

---

1. Garçon d'écurie chargé de soigner les chevaux de course. — 2. Élève peintre ; par extension, peintre bohème au talent duquel on ne croit guère.

chi, des enfants maigres et gaies, nourries de sandwiches et de pastilles de menthe...

Au promenoir, une camaraderie de prisonnières groupe les petites marcheuses[1] à trois louis par mois, celles qui changeront six ou huit fois de costume au cours de la Revue. Autour d'un guéridon de bar, elles bavardent comme on mange, avec fièvre, avec gloutonnerie ; — plusieurs tirent l'aiguille, et raccommodent des nippes de gosse...

L'une d'elles séduit par sa minceur androgyne. Elle a coiffé ses cheveux courts d'un feutre masculin, d'une élégance très Rat-Mort[2]. Les jambes croisées sous sa jupe étroite, elle fume et promène autour d'elle le regard insolent et sérieux d'une Mlle de Maupin[3]. L'instant d'après, sa cigarette finie, elle tricote, les épaules basses, une paire de chaussons d'enfant... Pauvre petite Maupin de Montmartre, qui arbore un vice seyant comme on adopte le chapeau du jour. « Qu'est-ce que tu veux, on n'a pas de frais de toilette, avec deux galures et deux costumes tailleur je fais ma saison : — et puis il y a des hommes qui aiment ça... »

Une boulotte[4] camuse[5] aux yeux luisants, costaude, courtaude, coud d'une main preste et professionnelle, en bavardant âprement. « *Ils* vont encore nous coller une générale à minuit et demi, comme c'est commode... Moi que j'habite au *Lion de Belfort*, parce que mon mari est ouvrier serrurier... Alors, vous comprenez, la générale finit sur les trois heures et demie, peut-être quatre heures, et je suis sûre de rentrer sur mes pattes, juste à temps pour faire la soupe à mon mari qui s'en va à cinq heures et demie, et puis, après, les deux gosses qu'il faut qu'ils aillent à l'école... » Celle-ci n'a rien d'une révoltée, d'ailleurs ; chaque métier a ses embêtements, n'est-ce pas ?

Dans une baignoire[6] d'avant-scène, un groupe coquet, emplumé, fourré, angora, s'isole et tient salon. Il y a la

1. Cf. note 4, p. 63. — **2.** Bar à la mode dans le Paris des années 1900. — **3.** Jeune héroïne au sexe ambigu du roman de Théophile Gautier. — **4.** Grasse, qui a la forme d'une boule. — **5.** Cf. note 5, p. 108. — **6.** Vocabulaire de théâtre, loge de rez-de-chaussée, saillante, située face à l'orchestre sous le premier balcon. Il s'agit d'une bonne place.

future commère et la diseuse [1] engagée pour trois couplets, et la petite amie d'un des auteurs, et celle du gros commanditaire... Elles gagnent, toutes, entre trois cents et deux mille francs par mois, mais on a des renards de deux cents louis, et des sautoirs de perles... On est pincées, posées, méfiantes. On ne joue pas à l'artiste, oh ! Dieu non. On ne parle pas de métier. On dit : « Moi, j'ai eu bien des ennuis avec mon auto... Moi, je n'irai pas à Monte-Carlo cet hiver, j'ai horreur du jeu ! Et puis, après la revue, je serai si contente de me reposer un peu chez moi, de ne pas sortir le soir ! *Mon ami* adore la vie de famille... nous avons une petite fille de quatre ans qui est un amour... »

Ici, comme à côté, l'enfant se porte beaucoup, légitime ou non. J'entends : « L'institutrice de Bébé... Mon petit Jacques qui est déjà un homme, ma chère ! » L'une d'elles renchérit et avoue modestement quatre garçons. Ce sont des cris, des exclamations d'étonnement et d'envie... La jeune pondeuse, fraîche comme une pomme, se rengorge avec une moue d'enfant gâtée.

En face d'elle, la plus jolie de toutes médite, les doigts taquinant son lourd collier de perles irisées, et fixe dans le vide un regard bleu-mauve, d'une nuance inédite et sûrement très coûteuse. Elle murmure enfin : « Ça me fait songer que je n'ai pas eu d'enfant depuis deux ans... Il m'en faut un pour dans... dans quatorze mois. » Et comme on rit autour d'elle, elle s'explique, paisible : « Oui, dans quatorze mois. Ça me fera beaucoup de bien, il n'y a rien qui "dépure" le sang comme un accouchement. C'est un renouvellement complet, on a un teint, après !... J'ai des amies qui passent leur vie à se purger, à se droguer, à se coller des choses sur la figure... Moi, au lieu de ça, je me fais faire un enfant, c'est bien plus sain ! » (rigoureusement *sic !*)

En quittant le promenoir, je frôle du pied quelque chose qui traîne sur le tapis sale... Un peu plus, j'écrasais une main, une petite patte enfantine, la paume en l'air... Les petites Anglaises se reposent là, par terre, en tas. Quelques-

---

1. Celle qui récite, déclame.

unes, assises, s'adossent au mur, les autres sont jetées en travers de leurs genoux ou pelotonnées en chien de fusil, et dorment. Je distingue un bras mince, nu jusqu'au coude, une chevelure lumineuse en coques rousses au-dessus d'une délicate oreille anémique... Sommeil misérable et confiant, repos navrant et gracieux de jeunes bêtes surmenées... On songe à une portée de chatons orphelins, qui se serrent pour se tenir chaud...

Table

Présentation 5
Établissement du texte 11
Repères chronologiques 15
Bibliographie, Filmographie 22

Les vrilles de la vigne 25
Rêverie de Nouvel An 27
Chanson de la danseuse 33
Nuit blanche 35
Jour gris 39
Le dernier feu 42
Amours 46
Un rêve 50
Nonoche 52
Toby-Chien parle 57
Dialogue de bêtes 64
Maquillages 70
Belles-de-jour 75
De quoi est-ce qu'on a l'air ? 82
La guérison 90
Le miroir 98
La dame qui chante 102
En baie de Somme 106
Partie de pêche 113
Music-halls 119

IMPRIMÉ EN FRANCE PAR BRODARD ET TAUPIN
Usine de La Flèche (Sarthe).
LIBRAIRIE GÉNÉRALE FRANÇAISE - 43, quai de Grenelle - 75015 Paris.

ISBN : 2 - 253 - 13801 - 0   ✦ 31/3801/3